LE CORPS HUMAIN EN ACTION

Le Sorbier

DoGi

Texte original
Barbara Gallavotti
Illustrations
Studio Inklink, Florence

ÉDITION ORIGINALE
Édition : **Francesco Milo**
Graphisme : **Sebastiano Ranchetti**
© 1999 DoGi spa, Florence, Italie

ÉDITION FRANÇAISE
Le Sorbier, Paris

Réalisation
ML Éditions, Paris
Traduction : **Marine Bellanger et
François Poncioni**

© 1999 Le Sorbier, Paris
ISBN 2-7320-3625-0

Imprimé en Italie en 1999

Sommaire

LA MACHINE HUMAINE

Le corps humain peut être comparé à une extraordinaire machine, constituée d'environ 100 000 milliards de cellules. C'est l'harmonieux fonctionnement de ces microscopiques engrenages qui nous permet de nous mouvoir, de parler, de penser, de créer.

Comme dans une machine, la base de fonctionnement du corps réside dans une parfaite organisation de toutes ses parties.

Chaque cellule n'agit pas de façon indépendante, mais coordonne son comportement avec celui des autres cellules, émettant et recevant continuellement des messages. Ces derniers prennent généralement la forme de molécules chimiques, mais peuvent aussi être des impulsions électriques.

Les cellules du corps humain sont groupées suivant un certain ordre, et différents niveaux d'organisation.

Celles dont les fonctions sont le plus étroitement associées sont réunies en tissus,

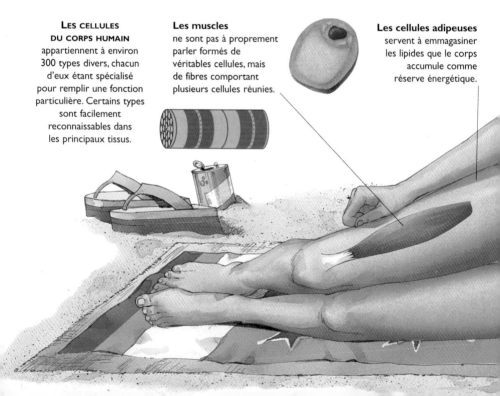

LES CELLULES DU CORPS HUMAIN appartiennent à environ 300 types divers, chacun d'eux étant spécialisé pour remplir une fonction particulière. Certains types sont facilement reconnaissables dans les principaux tissus.

Les muscles ne sont pas à proprement parler formés de véritables cellules, mais de fibres comportant plusieurs cellules réunies.

Les cellules adipeuses servent à emmagasiner les lipides que le corps accumule comme réserve énergétique.

comme le tissu musculaire, celui du squelette et le sang (qui a un caractère très particulier, s'agissant d'un liquide). Divers tissus forment des organes, analogues à ceux d'une voiture, comme le moteur, les freins ou le réservoir de carburant. Ceux dont les fonctions sont étroitement liées sont réunis dans un appareil. Ainsi, la bouche et l'esto-mac sont deux organes différents, mais tous deux font partie de l'appareil digestif, qui comprend tous les organes destinés à la digestion des aliments. Enfin, l'ensemble de ces appareils constitue le corps humain tout entier. Nous allons dans cet ouvrage observer notre corps comme s'il s'agissait d'une machine.

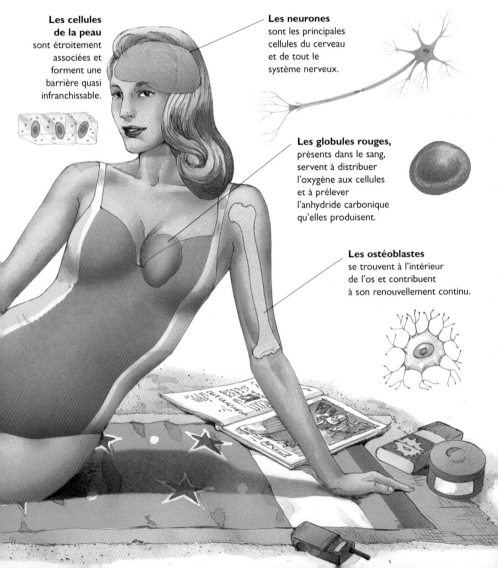

Les cellules de la peau sont étroitement associées et forment une barrière quasi infranchissable.

Les neurones sont les principales cellules du cerveau et de tout le système nerveux.

Les globules rouges, présents dans le sang, servent à distribuer l'oxygène aux cellules et à prélever l'anhydride carbonique qu'elles produisent.

Les ostéoblastes se trouvent à l'intérieur de l'os et contribuent à son renouvellement continu.

Nous tenterons de comprendre comment la réunion de très nombreux éléments donne naissance à un seul individu, et quel est le mécanisme à la base de fonctions vitales relativement simples, comme la digestion, ou très complexes, comme la mémoire. Nous allons ensuite essayer de discerner les petites caractéristiques qui rendent l'être humain si différent des animaux, pourtant formés eux-mêmes de cellules, de tissus, d'organes et d'appareils.

La cellule et l'ADN : le mode d'emploi du corps

Les cellules sont l'invention la plus extraordinaire de la nature ; elles sont à la base non seulement du corps humain, mais aussi de la vie même. Tous les êtres vivants sont, en effet, issus d'une cellule (dans le cas de

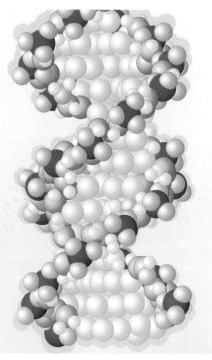

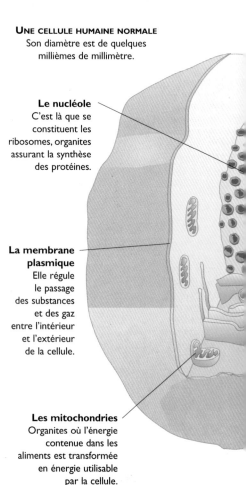

UNE CELLULE HUMAINE NORMALE
Son diamètre est de quelques millièmes de millimètre.

Le nucléole
C'est là que se constituent les ribosomes, organites assurant la synthèse des protéines.

La membrane plasmique
Elle régule le passage des substances et des gaz entre l'intérieur et l'extérieur de la cellule.

Les mitochondries
Organites où l'énergie contenue dans les aliments est transformée en énergie utilisable par la cellule.

L'ADN
a une structure tridimensionnelle formée de deux filaments enroulés en spirales imbriquées. Sur cette illustration, chaque sphère correspond à un atome. L'ADN d'une cellule humaine a un diamètre de 2 millionièmes de millimètre pour une longueur d'environ 2 mètres. Elle est divisée en 100 000 petites unités appelées gènes, dont chacune contient une information utile à la cellule.

l'Homme, il s'agit d'un ovule fécondé par un spermatozoïde), et sont constitués d'une ou plusieurs cellules.

Chacune d'entre elles est en mesure d'accomplir en réduction les fonctions typiques d'un organisme : se reproduire, grandir, réagir aux stimulations externes, se mouvoir, se nourrir et brûler de l'oxygène en produisant de l'anhydride carbonique, c'est-à-dire respirer.

Les jonctions occlusives
Elles maintiennent les cellules en contact de façon que rien ne puisse passer entre elles. Ainsi, pour les vaisseaux sanguins, elles empêchent le sang de sortir.

Le noyau
Il contient l'ADN et constitue le centre de contrôle de toutes les activités de la cellule.

Le réticulum endoplasmatique
C'est un ensemble de tubules et de sacs communicants. À sa surface se trouvent les ribosomes.

Les jonctions communicantes
Elles contiennent des canaux permettant le passage de substances d'une cellule à l'autre, et qui s'ouvrent ou se ferment suivant des signaux déterminés.

Les jonctions adhésives
Ce sont les plus lâches. Elles unissent les cellules par de minces filaments, permettant le passage de substances entre elles.

L'appareil de Golgi
C'est un ensemble de sacs dans lesquels sont élaborées et emmagasinées les molécules produites par la cellule.

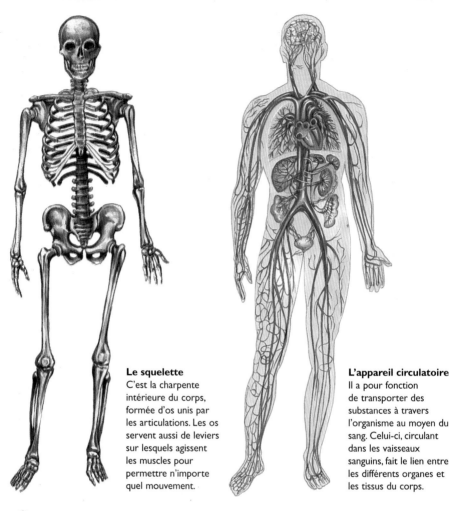

Le squelette
C'est la charpente intérieure du corps, formée d'os unis par les articulations. Les os servent aussi de leviers sur lesquels agissent les muscles pour permettre n'importe quel mouvement.

L'appareil circulatoire
Il a pour fonction de transporter des substances à travers l'organisme au moyen du sang. Celui-ci, circulant dans les vaisseaux sanguins, fait le lien entre les différents organes et les tissus du corps.

Certains organismes très simples, comme le protozoaire appelé amibe, sont constitués d'une seule cellule, mais chez l'Homme il y en a des milliards de milliards.

Toutes les cellules formant le corps d'un animal ont une structure semblable, avec de faibles variantes dépendant de leurs fonctions spécifiques. En général, chacune de nos cellules présente deux parties dis-tinctes : le noyau et le cytoplasme. Ce dernier contient de nombreux organites ayant chacun une fonction particulière.

Dans le noyau se trouve le patrimoine génétique, contenu dans la molécule dite ADN (acide désoxyribonucléique), qui conditionne toutes les fonctions de la cellule, de la production d'une protéine à la reproduction. Toutes les cellules du corps ont un patrimoine génétique identique ;

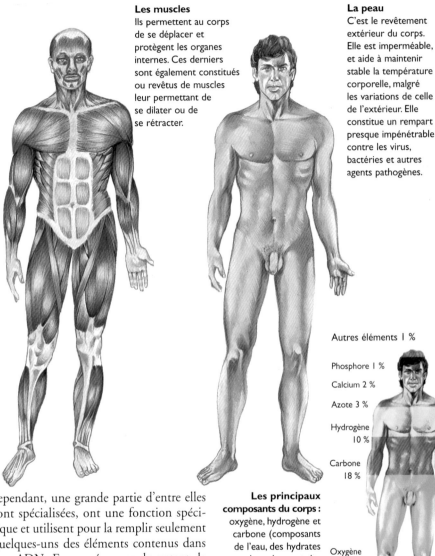

Les muscles

Ils permettent au corps de se déplacer et protègent les organes internes. Ces derniers sont également constitués ou revêtus de muscles leur permettant de se dilater ou de se rétracter.

La peau

C'est le revêtement extérieur du corps. Elle est imperméable, et aide à maintenir stable la température corporelle, malgré les variations de celle de l'extérieur. Elle constitue un rempart presque impénétrable contre les virus, bactéries et autres agents pathogènes.

Autres éléments 1 %

Phosphore 1 %

Calcium 2 %

Azote 3 %

Hydrogène 10 %

Carbone 18 %

Oxygène 65 %

cependant, une grande partie d'entre elles sont spécialisées, ont une fonction spécifique et utilisent pour la remplir seulement quelques-uns des éléments contenus dans leur ADN. En conséquence, le restant de ces derniers n'est jamais utilisé.

Voilà pourquoi on rencontre dans le même organisme des cellules très différentes, bien que toutes renferment le même patrimoine génétique.

Les principaux composants du corps : oxygène, hydrogène et carbone (composants de l'eau, des hydrates de carbone et des protéines), azote dans les protéines, calcium dans les os et phosphore dans le sang, ainsi que dans de nombreux autres tissus.

9

À LA RECHERCHE DE L'ÉNERGIE

Comme toute machine, le corps humain a besoin d'énergie pour fonctionner. C'est cette énergie qui va permettre aux cellules d'assurer toutes les fonctions vitales, comme synthétiser les molécules nécessaires à leur croissance, à leur maintien ou à leur reproduction.

Le corps humain tire de la nourriture l'énergie dont il a besoin. Un morceau de pain ou une tranche de viande sont cependant trop gros pour que les cellules puissent en extraire directement de l'énergie. Il est donc nécessaire que les aliments passent à travers l'appareil digestif, lequel les réduit d'abord en petits morceaux, puis décompose les éléments nutritifs : hydrates de carbone, protéines et lipides, en composants plus réduits comme les sucres, les acides aminés et les graisses simples. Ces éléments ont les dimensions voulues pour entrer dans les

LE RÉGIME IDÉAL
Aucune nourriture ne contient tous les aliments nécessaires à un adulte. Il faut donc adopter un régime et combiner les aliments de façon à recevoir des hydrates de carbone, des protéines, des lipides, des fibres et des vitamines en quantités appropriées.

Les protéines
Elles peuvent provenir de la viande, des légumes et des céréales, qui sont aussi les principales sources d'hydrates de carbone.

Fruits et légumes
Ils contiennent des sucres, des vitamines, des sels minéraux et des fibres. Le corps ne tire pas d'énergie de ces dernières, mais elles sont cependant indispensables, car leur présence favorise les mouvements de l'intestin.

cellules, mais contiennent encore trop d'énergie. Les cellules se trouvent dans la situation d'une personne disposant d'un chèque important : pour faire de menus achats, elle aura besoin de petite monnaie. Pour l'énergie, la petite monnaie est une molécule appelée ATP (adénosine triphosphate). Afin de l'obtenir, une fois entrés dans le cytoplasme, les sucres, acides aminés et graisses simples sont réduits en de petites chaînes formées de trois atomes de carbone. Passant dans toutes les mitochondries, elles sont alors décomposées, et l'énergie qu'elles contiennent est répartie en molécules d'ATP. Pour qu'un tel processus puisse intervenir, il faut de l'oxygène.

LA SENSATION DE FAIM
Elle est provoquée par l'action de nombreux organes.

Les graisses
Elles doivent être consommées avec modération mais constituent une importante source d'énergie. On les trouve surtout dans l'huile et le beurre.

Les sucres
Quand il enregistre une carence en sucre dans le sang, le pancréas cesse de sécréter l'insuline, une hormone qui favorise l'entrée des sucres dans les cellules.

Les cellules du cerveau
Elles ne sont pas pourvues de molécules fournissant de l'énergie. Elles dépendent donc entièrement de substances nutritives apportées par le sang ; quand celles-ci diminuent, elles s'en ressentent immédiatement et il devient difficile de se concentrer.

Le nerf vague
Il innerve une bonne part de l'appareil digestif. Il est stimulé lorsque le cerveau enregistre une carence en insuline et provoque alors un accroissement de la salivation et de la sécrétion de sucs gastriques dans l'estomac.

Le lait
C'est un des aliments les plus complets. Il contient, en effet, des graisses, des protéines, des sucres, des sels minéraux et des vitamines.

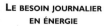

Exprimé en calories, il est différent pour chaque individu et dépend essentiellement de l'intensité de l'activité physique. Les exemples suivants se rapportent à un homme d'environ trente ans, pesant 66 kilos.

En dormant, on consomme environ 60 kcal par heure.

En étudiant ou en écrivant, on consomme 170 kcal par heure.

En jardinant ou en exerçant une activité physique moyenne, on consomme 260 kcal par heure.

En roulant à bicyclette à une vitesse de 15 km/h, on consomme 360 kcal par heure.

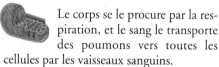

Le corps se le procure par la respiration, et le sang le transporte des poumons vers toutes les cellules par les vaisseaux sanguins.

En l'absence d'oxygène, les cellules ne sont pas en mesure de convertir l'énergie contenue dans les aliments et sont alors condamnées à mourir. C'est pourquoi personne ne peut survivre plus de quelques minutes sans respirer.

Fractionner les aliments

La première partie de la digestion intervient dans la bouche, où les aliments sont réduits en petits morceaux, déglutis et envoyés dans l'estomac. Ce sont les dents qui ont pour rôle de réduire en morceaux et de triturer chaque bouchée ; la langue, possédant des muscles puissants, sert à garder la nourriture en contact avec les dents et à la malaxer avec la salive. Celle-ci est produite

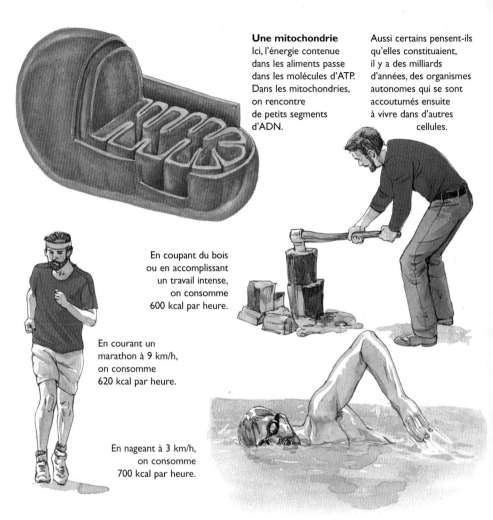

Une mitochondrie
Ici, l'énergie contenue dans les aliments passe dans les molécules d'ATP. Dans les mitochondries, on rencontre de petits segments d'ADN.

Aussi certains pensent-ils qu'elles constituaient, il y a des milliards d'années, des organismes autonomes qui se sont accoutumés ensuite à vivre dans d'autres cellules.

En coupant du bois ou en accomplissant un travail intense, on consomme 600 kcal par heure.

En courant un marathon à 9 km/h, on consomme 620 kcal par heure.

En nageant à 3 km/h, on consomme 700 kcal par heure.

par trois paires de petites glandes situées sous la mâchoire, sous la langue et devant les oreilles. Elle est composée presque entièrement d'eau et de mucus, mais contient aussi des anticorps antibactériens et de l'amylase salivaire, une molécule qui peut détruire les hydrates de carbone en accomplissant la première phase de leur digestion et en détruisant leurs restes demeurés entre les dents après le repas.

La salive joue un rôle fondamental dans la mastication. En effet, le mucus rend les aliments visqueux et propres à glisser dans l'œsophage pendant la déglutition, alors que l'eau dilue les aliments solides ou secs. Ceux-ci deviennent ainsi plus pâteux et adhèrent mieux aux papilles gustatives présentes sur la langue.

Même si elle est plus abondante lorsque l'on s'alimente, la salive est produite sans

LA BOUCHE
C'est la première partie de l'appareil digestif. Elle joue aussi un rôle essentiel dans l'articulation des sons, et certaines de ses parties sont destinées aux défenses immunitaires.

Les muscles maxillaires
Ils peuvent serrer les dents avec une force atteignant 25 kilos au niveau des incisives et 80 kilos à celui des molaires.

Les amygdales
Elles produisent des cellules destinées à la défense de l'organisme. Situées dans la partie postérieure de la bouche, elles sont bien placées pour faire barrage aux virus et aux bactéries qui pourraient pénétrer dans le corps par cet orifice.

La langue et les lèvres
Elles participent toutes à l'articulation des sons. Quant aux papilles gustatives placées sur la langue, elles perçoivent les saveurs, agréables ou non, et permettent souvent de détecter qu'un produit est nocif.

Les dents
L'adulte en possède 32, différentes suivant leurs fonctions. Les molaires servent à broyer, les canines à déchirer et les incisives à trancher et à couper les aliments.

interruption, et l'on calcule que sa sécrétion atteint 1,5 litre en 24 heures. En effet, elle ne sert pas uniquement pendant la mastication, mais elle protège les dents, car elle contient des anticorps et exerce une action détergente continue. En outre, elle garde constamment humide la cavité buccale, ce qui est essentiel pour l'articulation des sons du langage.

Une fois imprégnée de salive et mêlée par la langue, la nourriture prend la forme d'une boule, ou bol alimentaire prêt à être dégluti. La langue pousse le bol vers le pharynx, d'où il passera dans l'œsophage, puis dans l'estomac.

Cette phase est très délicate, car le pharynx est également la voie empruntée par l'air inspiré pour rejoindre la trachée et ensuite les poumons. Il est vital que cette voie ne soit pas obstruée par la nourriture, ce qui entraînerait la suffocation.

L'estomac et l'intestin au travail

La nourriture ingérée est tout d'abord emmagasinée dans l'estomac, où elle est soumise à l'action de décomposition des

Les cordes vocales
C'est l'air émis par les poumons qui les fait vibrer. Elles peuvent s'écarter et, suivant l'espace qui les sépare, déterminent la hauteur des sons émis par celui qui parle.

L'émail
Il revêt la dent. C'est le tissu le plus dur du corps humain.

L'ivoire
C'est la partie dure de la dent, revêtue à la couronne par l'émail.

La pulpe dentaire
C'est la partie interne de la dent, où se trouvent des vaisseaux sanguins et le nerf dentaire.

sucs gastriques. Cet organe ressemble à une besace et, chez l'homme adulte, sa contenance est d'environ un litre, bien qu'il puisse largement se dilater.

Les parois internes de l'estomac sont garnies de très nombreuses glandules qui sécrètent environ deux à trois litres de sucs gastriques par jour, composés principalement de mucus, d'acide chlorhydrique et d'une protéine dite pepsinogène. Lorsque cette protéine entre en contact avec l'acide chlorhydrique, elle se transforme en pepsine, une molécule capable de scinder les protéines contenues dans les aliments. Comme les tissus de l'estomac sont, eux aussi, composés en bonne partie de protéines, ils pourraient être attaqués et littéralement digérés par la pepsine.

Afin d'éviter cela, le mucus adhère aux parois intestinales sur lesquelles il forme une couche protectrice.

LA SATIÉTÉ
Quand le glucose en circulation dans le sang augmente à la suite de l'ingestion d'aliments, le centre de la satiété intervient et inhibe celui de la faim.

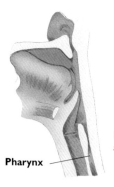
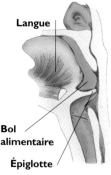

Langue

Voile du palais

Bol alimentaire

Pharynx

Épiglotte

Trachée

La déglutition
La langue pousse le bol alimentaire vers le pharynx, et le voile du palais s'élève, fermant ainsi la voie d'accès au nez. Puis, descendant le long du pharynx, le bol abaisse une membrane, l'épiglotte, qui ferme l'accès à la trachée. Le bol ne peut ainsi s'introduire dans les voies respiratoires.

Les sucs gastriques
La vue de la nourriture, son goût, son odeur sont perçus par le cerveau, qui stimule en conséquence la sécrétion de sucs gastriques par l'estomac.

Le centre de la faim
Il se trouve, comme celui de la satiété, dans le cerveau. La dilatation de l'estomac, qui est enregistrée par certains nerfs quand il reçoit de la nourriture, contribue à son inhibition.

Les carnivores
Ils enfoncent leurs dents dans la viande pour la déchirer. Ces dents sont pointues et coupantes, comme les incisives humaines.

Les herbivores
Ils écrasent et triturent les fibres végétales avec des dents plates et larges semblables aux molaires humaines.

Les rongeurs
Ils mangent des graines et ont des dents fortes et coupantes qui ressemblent aux incisives humaines.

L'Homme
Omnivore, il dispose de dents variées qui lui permettent de se nourrir de viande et de végétaux.

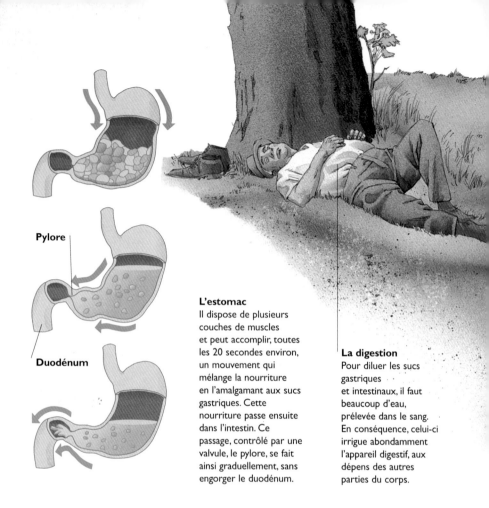

Pylore

Duodénum

L'estomac
Il dispose de plusieurs couches de muscles et peut accomplir, toutes les 20 secondes environ, un mouvement qui mélange la nourriture en l'amalgamant aux sucs gastriques. Cette nourriture passe ensuite dans l'intestin. Ce passage, contrôlé par une valvule, le pylore, se fait ainsi graduellement, sans engorger le duodénum.

La digestion
Pour diluer les sucs gastriques et intestinaux, il faut beaucoup d'eau, prélevée dans le sang. En conséquence, celui-ci irrigue abondamment l'appareil digestif, aux dépens des autres parties du corps.

Après avoir été partiellement décomposée dans l'estomac, la nourriture passe dans la première partie de l'intestin, dite intestin grêle, où sont séparés les composants les plus simples.

Les graisses sont les aliments les plus difficiles à fragmenter. En effet, elles ne sont pas solubles dans l'eau et, à l'intérieur de l'estomac, en milieu aqueux, elles tendent à former des agglomérats peu accessibles aux molécules. C'est pour cela que le foie produit les sels biliaires et les verse avec la bile dans l'intestin ; là, ils réduisent les agglomérats en microscopiques fragments, comme le ferait un solvant avec une tache d'huile.

Ces fragments sont ensuite plus facilement attaqués par des molécules produites par le pancréas, qui séparent complètement les lipides et les réduisent à l'état de graisses simples.

APRÈS LE REPAS

Comme tous les autres organes non impliqués dans la digestion, le cerveau reçoit moins de sang. Les cellules nerveuses se libèrent alors avec difficulté des déchets de leur métabolisme ; elles sont ainsi moins efficaces, et l'on est somnolent.

D'autres molécules, provenant toujours du pancréas, ou produites directement dans l'intestin, ont pour mission de scinder les protéines en acides aminés, et les amidons et les hydrates de carbones en sucres, comme le glucose ou le fructose.

Les sucres, les acides aminés et les graisses simples sont enfin absorbés par les parois de l'intestin grêle et reversés dans les circuits sanguin et lymphatique. Le processus d'absorption des substances nutritives ressemble au fait d'absorber un liquide avec une éponge : plus la surface de celle-ci est grande, plus l'opération est rapide. C'est pour cela que la superficie de l'intestin grêle est énormément augmentée par de petits replis, appelés villosités. Si leur superficie pouvait être étalée, elle couvrirait un court de tennis !

Tout ce qui n'a pas été absorbé – en grande partie de l'eau, des sels et des résidus – rejoint le gros intestin. Celui-ci est le siège de très nombreux micro-organismes, les bactéries, qui ont évolué pour vivre au mieux avec l'espèce humaine.

En échange de l'hospitalité et de la nourriture fournies par notre corps, elles synthétisent pour nous des vitamines fondamentales, comme les vitamines K et B.

Si l'on est soumis à de longues cures d'antibiotiques, les bactéries composant la flore intestinale meurent et peuvent être remplacées par d'autres bactéries qui sont suceptibles de provoquer des maladies, notamment une diarrhée.

Le gros intestin prélève les sels, comme le chlore et le sodium, et absorbe l'eau de boisson, ainsi que celle qui provient du circuit sanguin, utilisée pour diluer les sucs digestifs.

Nous buvons chaque jour environ 1,5 litre d'eau et en reversons dans l'appareil digestif près de 7 litres, constitués par les composants liquides de la salive, les sucs gastriques ou intestinaux ou la bile.

L'eau est presque totalement utilisée, et les matières fécales n'en contiennent que 0,1 litre pour un volume d'environ 0,05 litre de substances solides. Ces dernières sont formées de résidus de mucus, de cellules mortes provenant de l'intestin, de bactéries et de débris non digestibles de nourriture, les fibres végétales, par exemple.

La dernière partie du voyage

Les substances absorbées dans l'appareil digestif, à l'exception des longues molécules de graisses simples, passent dans le système sanguin qui les transporte vers le foie.

Celui-ci est le plus gros organe du corps : il peut peser jusqu'à 1,5 kilo chez un

Les lobules hépatiques
Ce sont les unités fonctionnelles du foie. Ils reçoivent les ramifications de la veine cave et de la veine porte. Leurs cellules purifient les aliments et accumulent, sous forme de glycogène, les sucres qui ne sont pas immédiatement nécessaires.

Le foie
Il reçoit de la veine porte les aliments absorbés par l'intestin, et les trie. Les aliments purifiés sont ensuite envoyés dans la veine cave et partent alors nourrir toutes les cellules du corps.

L'appareil digestif
Il est constitué d'un tube, long d'une dizaine de mètres, partant de la bouche et se terminant à l'anus. Il est relié à de nombreux organes et glandes, comme les glandes salivaires, le foie et le pancréas.

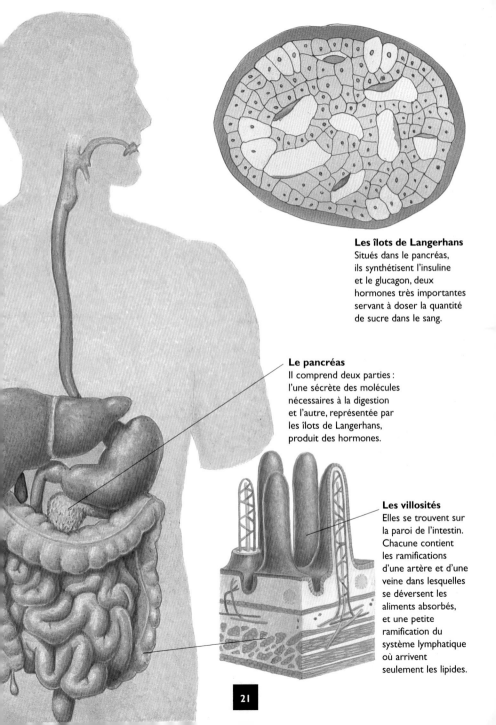

Les îlots de Langerhans
Situés dans le pancréas,
ils synthétisent l'insuline
et le glucagon, deux
hormones très importantes
servant à doser la quantité
de sucre dans le sang.

Le pancréas
Il comprend deux parties :
l'une sécrète des molécules
nécessaires à la digestion
et l'autre, représentée par
les îlots de Langerhans,
produit des hormones.

Les villosités
Elles se trouvent sur
la paroi de l'intestin.
Chacune contient
les ramifications
d'une artère et d'une
veine dans lesquelles
se déversent les
aliments absorbés,
et une petite
ramification du
système lymphatique
où arrivent
seulement les lipides.

homme adulte. Outre la sécrétion de la bile, le foie assure d'autres fonctions très importantes. Il constitue, en premier lieu, un véritable « passage en douane » où sont analysées les molécules provenant des aliments, afin d'écarter celles qui pourraient être nocives.

Cependant, ce système de contrôle n'est pas infaillible, et il arrive que des substances toxiques parviennent à pénétrer dans les tissus de l'organisme ; d'autres fois, des médicaments, confondus avec des molécules dangereuses, peuvent être bloqués.

Le foie joue également le rôle d'un dépôt de réserves énergétiques et retient la plupart des sucres, en particulier le glucose. Cela parce que les cellules ont un besoin constant de petites quantités de molécules où puiser de l'énergie, mais ne sauraient où

LE POIDS DE FORME
Il ne peut être conservé qu'en conjuguant une activité physique régulière et un régime équilibré.

L'effort physique
Il fait en sorte que les cellules des muscles aient besoin de plus d'énergie. Par conséquent, le cœur bat plus rapidement et les vaisseaux sanguins se dilatent pour que le sang circule plus vite, en amenant de nouveaux aliments et de l'oxygène.

Les sucres et les protéines
Ce sont les premières molécules à être brûlées. La consommation de graisses est, en revanche, très lente, et bien peu sont détruites lors d'un effort occasionnel.

les accumuler si elles leur étaient fournies toutes à la fois après les repas. Par conséquent, les substances nutritives extraites de la nourriture doivent être introduites graduellement dans le sang, qui les transporte à chaque cellule.

Le glucose stocké par le foie est emmagasiné dans le glycogène, une grosse molécule formée de très nombreuses molécules de glucose réunies. Quand la quantité de sucres diminue dans le sang parce que les cellules ont prélevé toutes celles qui étaient disponibles, le foie sépare les molécules du glycogène et les libère dans le circuit sanguin. La concentration de glucose dans le sang est contrôlée par le pancréas, qui sécrète deux hormones : l'insuline et le glucagon. La première a pour effet de stimuler la production de glycogène du foie, la seconde de pousser à la réduire.

Mouvement et chaleur
La sensation de chaleur ressentie durant l'activité physique est due au fait que les muscles s'échauffent alors véritablement, comme le ferait un moteur.

LA RESPIRATION
Pendant l'activité physique, elle est
plus profonde et plus rapide, pour
que les muscles reçoivent plus
d'oxygène et puissent produire
une plus grande quantité d'ATP.

La capacité pulmonaire
Lors d'une respiration
normale, on inspire environ
0,5 litre d'air. Pendant
un effort, on peut atteindre
environ 3,5 litres.

Dans le cerveau
Le cerveau contient
des cellules spécialisées qui
enregistrent le pourcentage
d'anhydride carbonique
dans le sang. S'il est trop
élevé, elles envoient
des signaux d'alarme
au centre respiratoire.

Les muscles intercostaux
Ils servent à augmenter la capacité de dilatation des poumons. On a besoin, en effet, de plus d'air pendant un effort, et l'augmentation de volume obtenu par l'abaissement du diaphragme n'est plus suffisante.

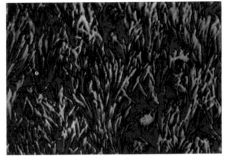

Purifier l'air
Le mucus, qui revêt la trachée, les bronches et les bronchioles, capture la poussière et les agents infectieux contenus dans l'air inspiré. Il les pousse vers le pharynx, grâce à des « tentacules » dits cils, appartenant aux cellules des voies respiratoires.
Du pharynx, le mucus passe dans le tube digestif et est éliminé. La fumée de cigarette a une action anesthésiante sur les cils : elle les empêche d'agir.

Comment se procurer de l'oxygène

Ainsi que nous l'avons vu, les cellules doivent distribuer l'énergie contenue dans les molécules tirées de la nourriture en autant de molécules d'ATP. Elles le font au travers d'une série de réactions chimiques, durant lesquelles il est consommé de l'oxygène et produit de l'anhydride carbonique. Ce processus est continu parce que le « carburant » ATP est sans interruption brûlé et remplacé (quand bien même il le serait à une vitesse variant selon l'intensité de l'activité cellulaire).

Les cellules ont donc un besoin constant de nouvel oxygène, de nouveaux aliments, et de se libérer de l'anhydride carbonique et des molécules résiduelles de leur métabolisme.

À cet effet, deux systèmes fonctionnant en harmonie interviennent : le système respiratoire et le système circulatoire.

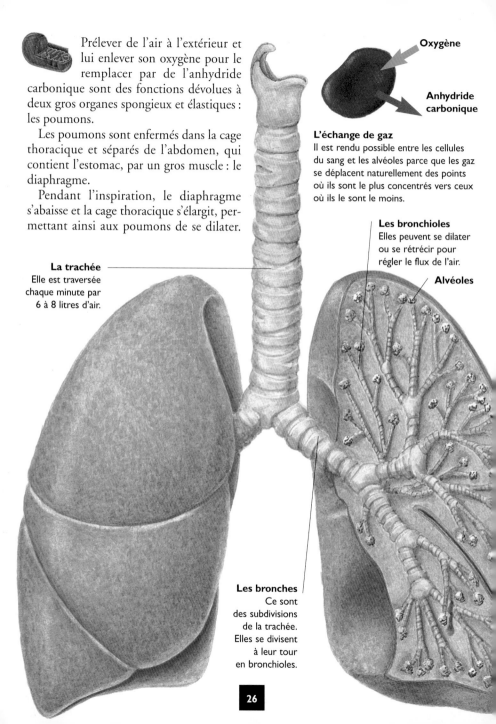

Prélever de l'air à l'extérieur et lui enlever son oxygène pour le remplacer par de l'anhydride carbonique sont des fonctions dévolues à deux gros organes spongieux et élastiques : les poumons.

Les poumons sont enfermés dans la cage thoracique et séparés de l'abdomen, qui contient l'estomac, par un gros muscle : le diaphragme.

Pendant l'inspiration, le diaphragme s'abaisse et la cage thoracique s'élargit, permettant ainsi aux poumons de se dilater.

Oxygène

Anhydride carbonique

L'échange de gaz
Il est rendu possible entre les cellules du sang et les alvéoles parce que les gaz se déplacent naturellement des points où ils sont le plus concentrés vers ceux où ils le sont le moins.

La trachée
Elle est traversée chaque minute par 6 à 8 litres d'air.

Les bronchioles
Elles peuvent se dilater ou se rétrécir pour régler le flux de l'air.

Alvéoles

Les bronches
Ce sont des subdivisions de la trachée. Elles se divisent à leur tour en bronchioles.

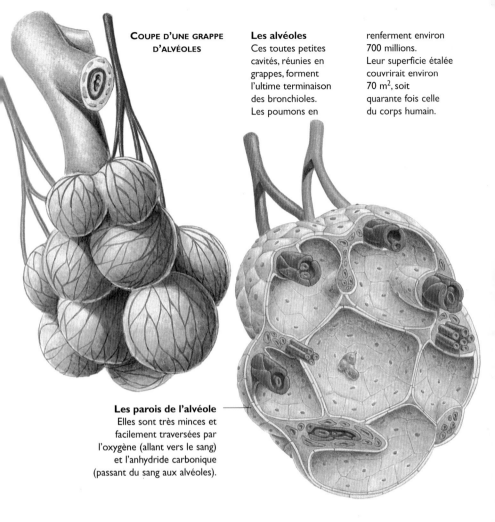

COUPE D'UNE GRAPPE
D'ALVÉOLES

Les alvéoles
Ces toutes petites cavités, réunies en grappes, forment l'ultime terminaison des bronchioles. Les poumons en renferment environ 700 millions. Leur superficie étalée couvrirait environ 70 m², soit quarante fois celle du corps humain.

Les parois de l'alvéole
Elles sont très minces et facilement traversées par l'oxygène (allant vers le sang) et l'anhydride carbonique (passant du sang aux alvéoles).

Cette augmentation de volume fait que l'air qu'ils contiennent bénéficie d'un plus grand espace et il devient plus raréfié que celui de l'atmosphère extérieure. Il en résulte une diminution momentanée de la pression initiale, qui est rétablie par l'admission d'un air nouveau.

Celui-ci arrive dans les poumons en entrant par le nez ou la bouche, et en traversant la trachée et les bronches.

Durant ce parcours, il est réchauffé et humidifié; car si les poumons recevaient un air froid et sec, comme il l'est normalement dans le milieu extérieur, ils pourraient en souffrir.

Les poumons sont irrigués par un réseau enchevêtré de capillaires. Le sang qui les parcourt vient de terminer un long trajet au cours duquel il a rencontré toutes les cellules du corps, leur apportant de

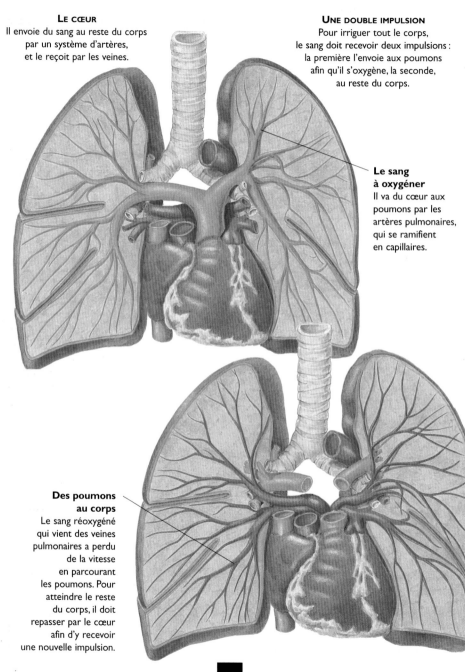

LE CŒUR
Il envoie du sang au reste du corps
par un système d'artères,
et le reçoit par les veines.

Pour irriguer tout le corps,
le sang doit recevoir deux impulsions :
la première l'envoie aux poumons
afin qu'il s'oxygène, la seconde,
au reste du corps.

**Le sang
à oxygéner**
Il va du cœur aux
poumons par les
artères pulmonaires,
qui se ramifient
en capillaires.

**Des poumons
au corps**
Le sang réoxygéné
qui vient des veines
pulmonaires a perdu
de la vitesse
en parcourant
les poumons. Pour
atteindre le reste
du corps, il doit
repasser par le cœur
afin d'y recevoir
une nouvelle impulsion.

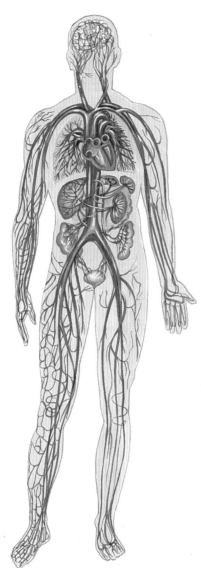

l'oxygène et recevant en échange de l'anhydride carbonique. Les deux organes fonctionnent donc comme une station de ravitaillement où le sang renouvelle sa charge d'oxygène et se libère des molécules de rebut.

Cet échange terminé, l'expiration commence : le diaphragme se relâche, entraînant une diminution du volume de la cage thoracique avec, par voie de conséquence, une contraction des poumons expulsant l'air désormais chargé d'anhydride carbonique.

La circulation : un grand système de liaison

Pour vivre et travailler, les 100 000 milliards de cellules du corps humain doivent être continuellement approvisionnées en nourriture et en oxygène, tout en étant libérées de leurs déchets. De plus, les substances que chaque cellule produit sont destinées à d'autres parties du corps, et il faut donc les transporter. Naturellement, il n'est pas facile de satisfaire les exigences d'un aussi grand nombre d'« ouvrières ». Pour ce faire, tout un système de liaisons efficace est nécessaire.

Le système sanguin pourvoit à cette tâche. Il s'agit d'un réseau de vaisseaux, subdivisés en artères, veines et capillaires, atteignant l'extraordinaire longueur d'environ 150 000 kilomètres, soit plus de trois fois la circonférence de la Terre.

Dans ces vaisseaux court le sang, dont les cellules prélèvent les substances nutritives et l'oxygène, et lui confient leurs déchets et les cellules qui doivent être éliminées. Le circuit sanguin peut ainsi être imaginé comme un très long tapis roulant. Il est parfois emprunté aussi par les ennemis de l'organisme, tels que virus et bactéries, qui

Des tissus au cœur
Organes et tissus reçoivent le sang oxygéné des artères et le renvoient au cœur par les veines. Dans les tissus et dans les veines, la circulation est très ralentie, et le sang a besoin d'une nouvelle impulsion avant de pouvoir parcourir les capillaires des poumons et s'oxygéner à nouveau.

se font ainsi conduire jusqu'à leurs objectifs.

Les cellules du sang les plus nombreuses sont les globules rouges, ou hématies, chargées de transporter l'oxygène des poumons vers les tissus. Seules cellules du corps dépouvues de noyau, ce ne sont pratiquement que de petits sacs contenant une molécule, l'hémoglobine, qui peut s'unir à l'oxygène ou à l'anhydride carbonique. Dans le premier cas, l'hémoglobine est d'un rouge brillant ; dans le second, elle devient plus foncée. C'est pourquoi le sang d'une même personne peut prendre diverses nuances.

Les autres cellules présentes dans le sang sont les globules blancs, ou leucocytes. Il en existe différents types ; ce sont les « défenses armées » que le corps met en œuvre quand il doit combattre une infection.

Le sang coule sans interruption dans le système circulatoire grâce à un muscle particulier faisant office de pompe : le cœur. Celui-ci bat toute la vie durant, sans s'arrêter ni se lasser : aucun autre muscle n'est capable d'un tel mouvement ininterrompu.

En outre, le battement du cœur n'intervient pas, comme les autres mouvements,

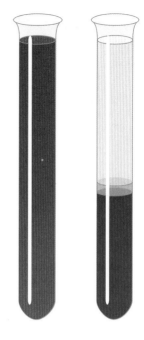

Le sang
Il est formé d'une partie liquide, le plasma, et de cellules diverses. Si l'on centrifuge une éprouvette de sang, les cellules, plus lourdes, s'agglomèrent sur le fond, et le plasma reste à la partie supérieure.

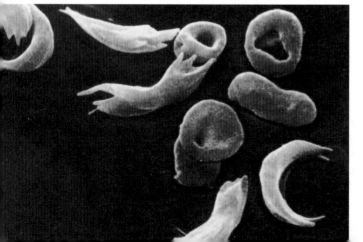

L'anémie falciforme
C'est une maladie causée par une mutation de l'hémoglobine, la molécule qui fixe l'oxygène. Alors, ce gaz n'est plus transporté correctement. En outre, les globules rouges prennent une forme typique de faux, d'où le nom de la maladie. Comme beaucoup d'anémies, elle est héréditaire et peut être mortelle si le nombre de globules rouges déformés est trop élevé.

LES DEUX MOITIÉS DU CŒUR
Le cœur est divisé verticalement
en deux moitiés. Celle de gauche
reçoit le sang oxygéné ; celle de
droite, le sang à réoxygéner. Les
deux types de sang
ne se mêlent donc jamais. Chaque
moitié de cœur comprend en haut
une oreillette et en bas un
ventricule, qui communiquent par
un orifice muni d'une valvule.

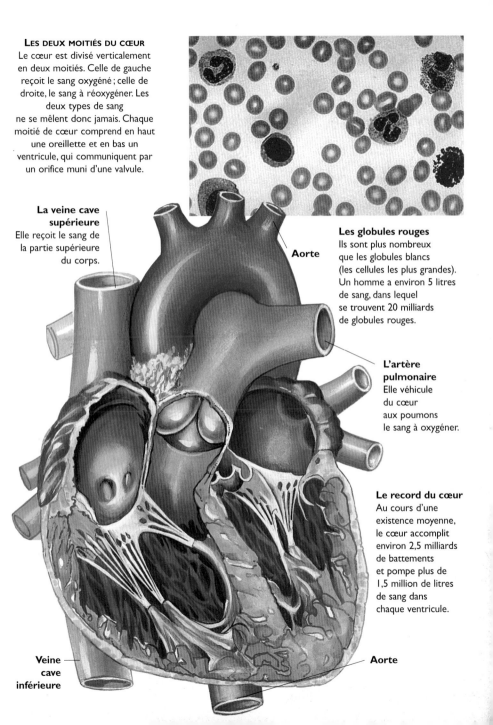

**La veine cave
supérieure**
Elle reçoit le sang de
la partie supérieure
du corps.

Aorte

Les globules rouges
Ils sont plus nombreux
que les globules blancs
(les cellules les plus grandes).
Un homme a environ 5 litres
de sang, dans lequel
se trouvent 20 milliards
de globules rouges.

**L'artère
pulmonaire**
Elle véhicule
du cœur
aux poumons
le sang à oxygéner.

Le record du cœur
Au cours d'une
existence moyenne,
le cœur accomplit
environ 2,5 milliards
de battements
et pompe plus de
1,5 million de litres
de sang dans
chaque ventricule.

**Veine
cave
inférieure**

Aorte

en réponse à une stimulation en provenance du système nerveux.

C'est le cœur lui-même qui en règle le rythme. Même extrait du corps, il continue à battre quelque temps, ce qui permet notamment les transplantations cardiaques. Les fibres du système nerveux qui rejoignent le cœur ont également pour rôle de modifier le rythme des contractions du muscle cardiaque – qui est normalement d'environ 70 battements à la minute –, son ralentissement ou son accélération, suivant les exigences des cellules du corps. Lorsque l'on produit un effort ou en cas de fièvre, le rythme cardiaque s'accélère fortement.

Maintenir l'équilibre interne

Vu de l'extérieur, notre corps change très lentement, et il faut des mois et des années

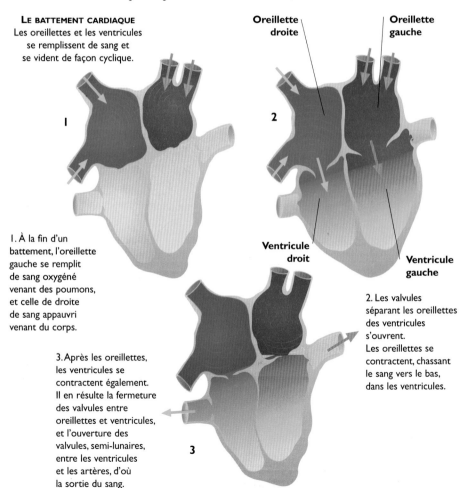

LE BATTEMENT CARDIAQUE
Les oreillettes et les ventricules se remplissent de sang et se vident de façon cyclique.

Oreillette droite

Oreillette gauche

1. À la fin d'un battement, l'oreillette gauche se remplit de sang oxygéné venant des poumons, et celle de droite de sang appauvri venant du corps.

Ventricule droit

Ventricule gauche

2. Les valvules séparant les oreillettes des ventricules s'ouvrent. Les oreillettes se contractent, chassant le sang vers le bas, dans les ventricules.

3. Après les oreillettes, les ventricules se contractent également. Il en résulte la fermeture des valvules entre oreillettes et ventricules, et l'ouverture des valvules, semi-lunaires, entre les ventricules et les artères, d'où la sortie du sang.

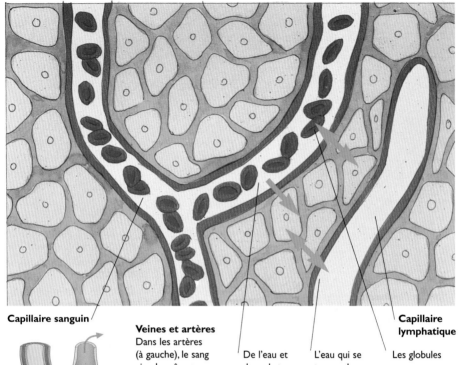

Capillaire sanguin

Veines et artères
Dans les artères
(à gauche), le sang
circule grâce aux
battements du cœur.
Dans les veines
(à droite), il faut aussi
une impulsion des
muscles environ-
nants ; des valvules
empêchent le sang
de revenir en arrière.

De l'eau et
des substances
comme
les nutriments
passent
du plasma
dans les tissus.

L'eau qui se
trouve dans
les cellules
passe en partie
dans le système
lymphatique,
pour être
ensuite
reversée
dans le sang.

**Capillaire
lymphatique**

Les globules
rouges
apportent
de l'oxygène
aux tissus et
en prélèvent
l'anhydride
carbonique.

avant que l'on puisse noter ces transfor-
mations.

À l'intérieur aussi, les conditions sem-
blent constantes : les cellules vivent dans un
milieu stable, ne subissent pas de variations
de température et reçoivent une quantité
régulière et continue de substances.

Cette stabilité, qui prend le nom
d'homéostasie, n'est cependant pas sponta-
née : elle est obtenue grâce à un système
complexe de régulation. C'est ce qui
explique que les cellules ne ressentent
aucune différence, que nous nous trouvions
au pôle ou à l'équateur, que nous prenions
notre petit déjeuner ou participions à un
banquet. C'est toujours de tels mécanismes
qui font que notre corps ne se déforme pas
à vue d'œil, bien qu'y naissent environ
25 millions de cellules à la seconde. Un
nombre équivalent de cellules meurent en

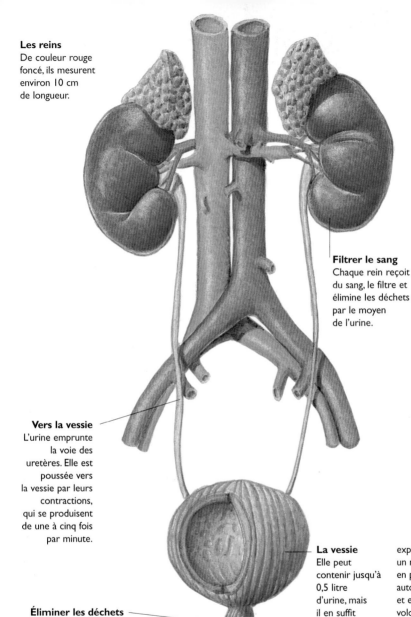

Les reins
De couleur rouge foncé, ils mesurent environ 10 cm de longueur.

Filtrer le sang
Chaque rein reçoit du sang, le filtre et élimine les déchets par le moyen de l'urine.

Vers la vessie
L'urine emprunte la voie des uretères. Elle est poussée vers la vessie par leurs contractions, qui se produisent de une à cinq fois par minute.

La vessie
Elle peut contenir jusqu'à 0,5 litre d'urine, mais il en suffit d'un tiers pour provoquer le besoin d'uriner. L'urine est expulsée par un mouvement en partie automatique et en partie volontaire. Le corps en produit environ 1,5 litre par jour.

Éliminer les déchets
Quand la vessie se relâche, l'urine sort du corps par le conduit de l'urètre.

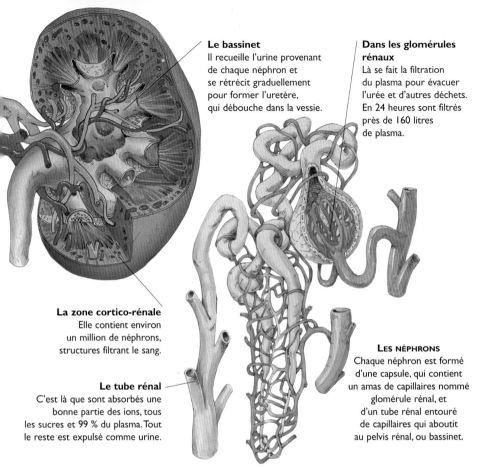

Le bassinet
Il recueille l'urine provenant de chaque néphron et se rétrécit graduellement pour former l'uretère, qui débouche dans la vessie.

Dans les glomérules rénaux
Là se fait la filtration du plasma pour évacuer l'urée et d'autres déchets. En 24 heures sont filtrés près de 160 litres de plasma.

La zone cortico-rénale
Elle contient environ un million de néphrons, structures filtrant le sang.

Le tube rénal
C'est là que sont absorbés une bonne partie des ions, tous les sucres et 99 % du plasma. Tout le reste est expulsé comme urine.

LES NÉPHRONS
Chaque néphron est formé d'une capsule, qui contient un amas de capillaires nommé glomérule rénal, et d'un tube rénal entouré de capillaires qui aboutit au pelvis rénal, ou bassinet.

 même temps, et ces déchets, comme ceux de l'activité normale de leurs congénères, sont promptement éliminés.

Nous avons déjà rencontré les organes qui contribuent à l'homéostasie, c'est-à-dire les poumons, grâce auxquels l'organisme se libère de l'anhydride carbonique. Deux petits organes en forme de haricot, situés dans l'abdomen sous les côtes inférieures, jouent un rôle prépondérant dans l'élimination des déchets : ce sont les reins.

Plusieurs dizaines de fois par jour, ils filtrent tout le sang du corps et le débarras-sent des substances toxiques et des déchets qu'il a reçus. Parmi ces substances, on trouve l'urée, une molécule produite durant la fragmentation des protéines. Ces dernières ne peuvent être stockées, comme cela se produit pour les graisses ou des sucres. Par conséquent, les protéines en surplus, provenant des aliments ou produites par les cellules, sont détruites par le foie. L'urée étant toxique, les cellules du foie s'en débarrassent le plus rapidement possible, en la déversant dans le circuit sanguin.

Les reins contribuent aussi à éliminer du plasma certains sels minéraux essentiels à la

L'hypothalamus
C'est la zone du cerveau qui enregistre l'appauvrissement en liquide du sang, intervenant en cas de sudation importante.

La soif
Elle est déclenchée par le cerveau afin de compenser la quantité de liquide perdue.

QUAND IL FAIT TROP CHAUD
Les activités métaboliques des cellules sont alors ralenties, afin d'éviter que la chaleur ne s'ajoute à celle qu'elles produisent elles-mêmes. On peut alors éprouver une sensation d'apathie et de fatigue.

La sueur
Elle baigne la surface du corps et, en s'évaporant, abaisse sa température.

La circulation
Elle est plus intense près de la surface du corps du fait de la dilatation des capillaires sanguins superficiels. Le sang courant sous la peau échange de la chaleur avec l'extérieur et se refroidit, mais sa grande abondance fait rosir l'extrémité des membres et le visage.

vie des cellules, mais qui, en trop grande quantité, peuvent devenir nuisibles. L'urée et les sels minéraux, unis à des acides, des hormones, des vitamines ayant cessé d'être actives et, éventuellement, des médicaments constituent des déchets éliminés par l'urine.

La quantité d'urine varie selon les besoins du corps et peut être plus abondante si l'on a beaucoup bu, ou moindre si l'on est déshydraté. Mais les reins, qui ne peuvent éliminer une quantité trop concentrée de sels, doivent les diluer. On ne peut donc se dispenser d'uriner même dans un désert ni se désaltérer avec de l'eau salée. En effet, boire de l'eau salée reviendrait à absorber d'autres sels et, pour les éliminer, à produire une urine encore plus abondante, ce qui conduirait à la mort par déshydratation.

QUAND IL FAIT TROP FROID
Si la température du corps
s'abaisse, l'hypothalamus envoie
des signaux au reste du corps,
afin de réduire
la déperdition de chaleur.

Produire plus de chaleur
Les cellules sont amenées
à accroître leur activité
par l'intervention de deux
hormones : l'adrénaline
et la tyrosine.

La chair de poule
Elle est due à la contraction des
muscles horripilateurs qui font se
dresser les poils. C'est un héritage
de notre passé d'animaux poilus,
au temps où
l'augmentation
du volume
de la fourrure
servait
à isoler
du monde
extérieur.

**Les
vaisseaux
sanguins**
Sous l'effet
du froid, les
capillaires situés
sous la peau
se contractent,
ce qui réduit
la surface de contact
entre le sang et la peau,
et limite la déperdition de chaleur.

Maintenir l'homéostasie signifie faire en sorte que la température du corps demeure constante.

Le niveau optimal de notre température, compris entre 36 et 37 °C, est obtenu grâce à la chaleur produite par l'activité des cellules.

Comme toute machine, le corps humain s'échauffe en fonctionnant. Il est important que sa température ne dépasse pas le niveau optimal, car alors les cellules surchauffent et ne peuvent travailler. C'est pourquoi des mécanismes adéquats dispersent les excédents de chaleur qui interviennent, par exemple, en raison d'une température extérieure très élevée ou d'un travail intensif, comme celui accompli par les muscles lors d'un effort. Un système analogue évite un trop grand abaissement de la température interne.

COMMUNICATION ET COORDINATION

Toutes les cellules travaillent pour maintenir vivant et actif l'ensemble de l'organisme, et ce travail doit être parfaitement coordonné. Pour cela, il est nécessaire que s'effectue, à l'intérieur du corps, un échange continu et très intense de messages.

Deux systèmes assurent le bon fonctionnement de ces communications : le système nerveux et le système hormonal.

Le premier comprend le cerveau et un réseau de nerfs qui rejoignent les parties périphériques de l'organisme. Ses cellules les plus importantes sont les neurones, qui captent les données du milieu extérieur et celles des organes internes : ils établissent

une réponse et la communiquent aux parties du corps devant réagir.

Les messages envoyés par le système nerveux passent directement d'un neurone à une autre cellule, par exemple à un autre neurone, à un muscle ou à une cellule glandulaire. Il s'agit donc d'un mode de communication rapide et direct, mais qui s'adresse à quelques interlocuteurs spéciali-

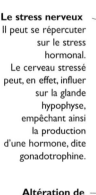

Le stress nerveux
Il peut se répercuter sur le stress hormonal. Le cerveau stressé peut, en effet, influer sur la glande hypophyse, empêchant ainsi la production d'une hormone, dite gonadotrophine.

LES SYSTÈMES NERVEUX ET ENDOCRINIEN
Ils s'influencent réciproquement. Par exemple, certaines conditions psychologiques peuvent altérer le flux menstruel.

Altération de la menstruation
L'absence de gonadotrophine affecte les ovaires, dont l'ovulation n'est pas provoquée. De ce fait, la menstruation ne se produit pas.

sés, comme le fait, par exemple, Internet. Le système hormonal, lui, est fondé sur les glandes, qui sont ses noyaux opérationnels. Elles sont composées de cellules spécialisées dans la production d'hormones, des « messagers » chargés principalement des communications directes avec de nombreuses zones du corps. Les hormones sécrétées par une glande passent dans le circuit sanguin, qui se charge de les transporter. Les cellules qui ne sont pas en mesure d'interpréter leur message les laissent passer sans intervenir. Mais quand les hormones approchent d'une cellule contenant une molécule particulière capable de les identifier, elles s'unissent à elle et lui délivrent leur information.

Les hormones se propagent donc ainsi que des journaux, qui apportent les nouvelles plus lentement que par le téléphone,

La gaine myélinique
Elle revêt l'axone et fait fonction d'isolant, permettant aux impulsions électriques de voyager plus rapidement.

LES NEURONES
Ils ont une structure très particulière, développée pour recueillir et transmettre au mieux les informations.

Les synapses
Elles sont situées au bout des ramifications de l'axone. Ce sont les structures à travers lesquelles un message est transmis aux cellules concernées.

L'axone
Il porte les messages sous forme d'impulsions électriques. Chez l'Homme, il peut atteindre jusqu'à 1 mètre de long. En proportion, si le corps cellulaire avait la taille d'une orange, l'axone mesurerait 1,5 kilomètre.

Les dendrites
Ce sont de fins prolongements qui relient le neurone aux cellules susceptibles de lui envoyer des messages.

Le corps cellulaire
Il contient le noyau, contrôle toute l'activité de la cellule et traite les informations recueillies par les dendrites.

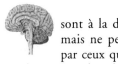 sont à la disposition de tous, mais ne peuvent être lus que par ceux qui savent lire et qui ont les moyens de se les procurer.

Le spécialiste des communications à courte distance : le neurone

Tous les types de cellules du corps jouent un rôle important pour notre existence et sont de vraies merveilles. Nous ne pourrions vivre sans la peau, les muscles, le sang ou les défenses immunitaires. Cependant, les neurones ont un caractère spécifique. Chez les animaux comme chez l'Homme, ces cellules transmettent des signaux nerveux qui « ordonnent » aux muscles des jambes de se contracter pour la marche, ou provoquent les sensations de peur et de faim. Mais, dans le cerveau humain, elles sont organisées de façon unique, et c'est grâce à leur activité que nous pouvons penser, imaginer et avoir conscience de ce qui nous entoure. C'est donc dans nos neurones que se cache le secret biologique qui nous rend particulièrement différents de tous les autres êtres vivants.

La structure d'un neurone isolé n'est pourtant pas tellement compliquée. Son mode de transmission des messages, relativement simple, fait appel à deux instruments : des signaux électriques et chimiques.

Ces messages sont reçus par des structures semblables à des tentacules, appelées dendrites, et envoyés au corps cellulaire sous forme de signaux électriques.

Il n'en existe que deux types : ils sont dits excitateurs quand ils ordonnent au neurone de transmettre, lui aussi, un

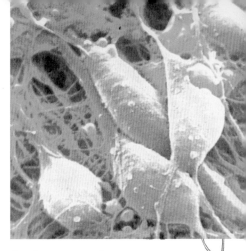

Le réseau neuronal
Dans le cerveau, chaque neurone est relié à de nombreux autres, et leur ensemble forme un réseau inextricable. Sur la microphotographie ci-dessus, les corps cellulaires de neurones sont agrandis 400 fois.

Les récepteurs
Ce sont des molécules présentes sur la membrane de la cellule interlocutrice. Le message est reçu quand les neuromédiateurs s'unissent à elles.

Espace intercellulaire
L'espace qui sépare la synapse de la cellule recevant le message est très petit, de l'ordre de 0,2 millième de millimètre.

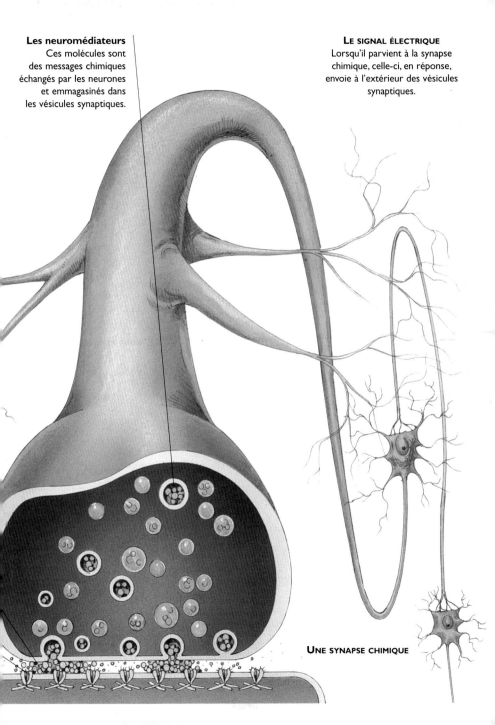

Les neuromédiateurs
Ces molécules sont
des messages chimiques
échangés par les neurones
et emmagasinés dans
les vésicules synaptiques.

Lorsqu'il parvient à la synapse
chimique, celle-ci, en réponse,
envoie à l'extérieur des vésicules
synaptiques.

UNE SYNAPSE CHIMIQUE

Les effets de l'alcool

C'est une véritable drogue de dépendance. En quantité excessive, elle a des effets nocifs sur beaucoup d'organes.

La douleur

Au départ, les neurones transmettant des sensations de douleur sont bloqués et l'on est dans un état de bien-être.

Le foie

Lorsqu'il détruit l'alcool, il produit des substances toxiques provoquant nausées et douleurs.

La somnolence

L'alcool a le même effet que celui d'un neuromédiateur inhibiteur appelé GABA, en particulier une sensation de somnolence. Si le taux d'alcool est trop élevé et inhibe un grand nombre de neurones, il peut être mortel.

La vasodilatation

L'afflux de sang vers la peau augmente et l'on éprouve une sensation de chaleur illusoire. Car, en parvenant à la surface de la peau, le sang se refroidit et la température du corps s'abaisse.

message, ou inhibiteurs lorsqu'ils lui demandent de demeurer complètement inactif et de ne rien retransmettre.

Les dendrites peuvent recevoir simultanément plusieurs signaux, soit excitateurs, soit inhibiteurs, et les accumuler dans le corps cellulaire. Si les premiers l'emportent sur les seconds, le neurone devient actif et génère un signal électrique qui voyage sur l'axone jusqu'à son extrémité.

Cette dernière est en contact avec d'autres cellules, nerveuses, musculaires ou glandulaires. C'est à elles qu'est destiné le message. Dans certains cas, assez rares, le signal électrique passe directement du neurone à son destinataire par l'intermédiaire

DES CERVEAUX DIFFÉRENTS
Le cerveau humain est très différent
de celui des autres animaux, même
si tous sont formés de neurones.

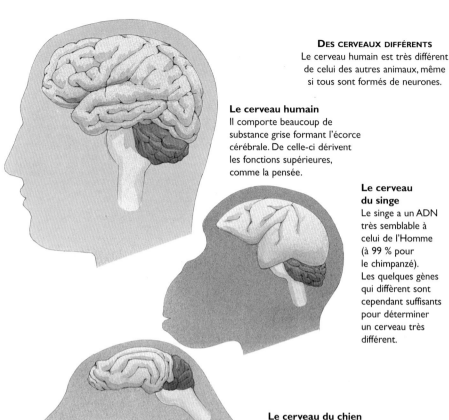

Le cerveau humain
Il comporte beaucoup de
substance grise formant l'écorce
cérébrale. De celle-ci dérivent
les fonctions supérieures,
comme la pensée.

**Le cerveau
du singe**
Le singe a un ADN
très semblable à
celui de l'Homme
(à 99 % pour
le chimpanzé).
Les quelques gènes
qui diffèrent sont
cependant suffisants
pour déterminer
un cerveau très
différent.

Le cerveau du chien
Il n'a pas beaucoup de
substance grise, mais la zone
de l'olfaction est beaucoup
plus développée que chez
l'homme. Dans son évolution,
il a été bien plus important
pour le chien de bien flairer
que de penser.

Le cerveau du rat
Il a peu de substance
grise, mais il est complexe,
comme celui de tous les
mammifères. Chez des
animaux plus simples,
tel le calmar, le système
nerveux tout entier n'est
constitué que de quelques
dizaines de neurones.

de structures à bouton appelées synapses
électriques. Ce mode de transmission permet une communication très rapide, mais
n'est pas le plus commun.

Dans la plupart des neurones, le signal
électrique, une fois parvenu à l'extrémité
de l'axone, est transformé en signal chimique par d'autres structures, dites
synapses chimiques.

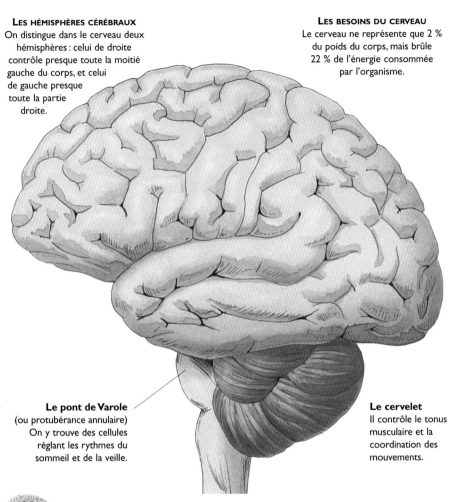

LES HÉMISPHÈRES CÉRÉBRAUX
On distingue dans le cerveau deux
hémisphères : celui de droite
contrôle presque toute la moitié
gauche du corps, et celui
de gauche presque
toute la partie
droite.

LES BESOINS DU CERVEAU
Le cerveau ne représente que 2 %
du poids du corps, mais brûle
22 % de l'énergie consommée
par l'organisme.

Le pont de Varole
(ou protubérance annulaire)
On y trouve des cellules
réglant les rythmes du
sommeil et de la veille.

Le cervelet
Il contrôle le tonus
musculaire et la
coordination des
mouvements.

En réponse, la cellule contactée émet un signal électrique, se contracte ou sécrète des hormones, selon qu'il s'agit d'une cellule nerveuse, musculaire ou glandulaire.

Il existe une trentaine de signaux chimiques connus, et chaque neurone en émet généralement d'un ou deux types. La transformation de messages électriques en messages chimiques permet d'envoyer des informations beaucoup plus détaillées que ne le ferait un simple message électrique.

Le cerveau

Notre cerveau contient environ 100 milliards de neurones répartis entre le cortex (où ont lieu les processus mentaux supérieurs et où est située la partie consciente de l'activité cérébrale) et des structures situées au-dessous de lui. Celles-ci, qui

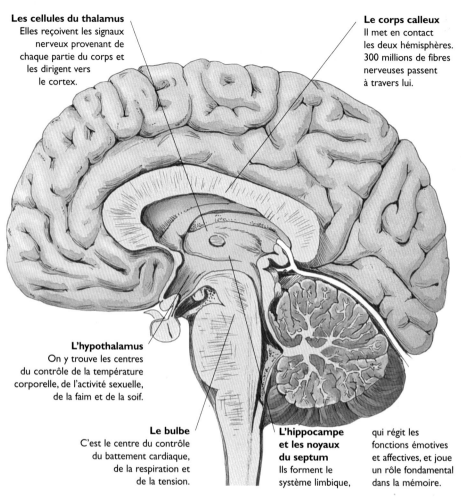

Les cellules du thalamus
Elles reçoivent les signaux nerveux provenant de chaque partie du corps et les dirigent vers le cortex.

Le corps calleux
Il met en contact les deux hémisphères. 300 millions de fibres nerveuses passent à travers lui.

L'hypothalamus
On y trouve les centres du contrôle de la température corporelle, de l'activité sexuelle, de la faim et de la soif.

Le bulbe
C'est le centre du contrôle du battement cardiaque, de la respiration et de la tension.

L'hippocampe et les noyaux du septum
Ils forment le système limbique, qui régit les fonctions émotives et affectives, et joue un rôle fondamental dans la mémoire.

comprennent la moelle épinière, une partie du cervelet et le système limbique, sont destinées à des fonctions basilaires et involontaires, comme régler le battement cardiaque ou la motricité intestinale, traiter la sensation de faim ou de soif, ainsi que les réactions émotives.

Il existe naturellement une étroite corrélation et un échange continu d'informations entre ces structures et le cortex.

L'aspect le plus surprenant du cortex cérébral est sa plasticité. En effet, les milliers de milliards de connexions unissant ses neurones ne sont pas stables, mais changent continuellement. Lorsque nous voyons une image, nous souvenons d'une personne ou exprimons une idée, les connexions, ou synapses, de notre cerveau, se modifient.

En conséquence, des neurones qui étaient séparés s'unissent ou se lient plus

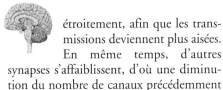

étroitement, afin que les transmissions deviennent plus aisées.

En même temps, d'autres synapses s'affaiblissent, d'où une diminution du nombre de canaux précédemment actifs.

Ce sont les connexions entre les neurones qui nous permettent de raisonner ; donc, pour être « intelligent », il est plus important d'avoir beaucoup de connexions que beaucoup de neurones.

Étant donné que chaque neurone établit d'autant plus de synapses qu'il est davantage stimulé, garder le cerveau en activité et s'efforcer de comprendre et d'étudier des choses nouvelles est le secret pour améliorer ses propres capacités mentales.

Bien que le cerveau conserve toute la vie sa plasticité, celle-ci est maximale pendant les premières années du développement de l'individu.

C'est au cours de cette période que des groupes de neurones décident quelle sera leur tâche : présideront-ils au langage, ou bien à la mémoire, à l'ouïe ou à quelque autre fonction ?

Cela a été clairement établi lorsqu'on a découvert, par hasard, que si l'on bandait un œil à un très petit enfant, par exemple à l'occasion d'une légère blessure, celui-ci perdait la capacité de voir avec cet organe. C'est parce que les neurones destinés à transmettre les images visuelles au cortex, ne recevant aucune stimulation, abandonnent l'œil maintenu fermé et se spécialisent dans une autre fonction.

Une fois que toutes les cellules ont pris une voie différente, il est impossible de les faire revenir en arrière, et l'œil demeure incapable de voir, même si toutes ses parties sont parfaitement en état de fonctionner. C'est un peu comme une ampoule

L'oreille
Elle perçoit les sons musicaux et envoie des impulsions correspondantes aux cellules du cortex. Celles-ci les examinent et, en quelques fractions de seconde, reconnaissent si elles correspondent ou non à la partition apprise.

L'hippocampe
Il joue un rôle fondamental dans la première acquisition des souvenirs, qui sont ensuite « archivés » dans le cortex.

Les doigts
Il est très difficile de les mouvoir rapidement et dans un ordre précis. Toutefois, l'entraînement rend les mouvements naturels parce que les connexions entre les neurones attachés à une certaine séquence se renforcent. Ils fonctionnent alors en enchaînement, sans hésitations ni erreurs.

Les phases du sommeil

On distingue deux phases, le sommeil paradoxal (les yeux bougent derrière les paupières closes) et le sommeil lent, qui suivent des cycles d'environ 90 minutes, dont 10 à 15 minutes seulement consacrées au sommeil paradoxal. Les rêves ont lieu pendant la première phase, qui permet la meilleure récupération des forces. Pendant le sommeil lent, dit aussi profond, le corps bouge (en moyenne une dizaine de fois par nuit).

Sommeil léger

Phases du sommeil paradoxal

Sommeil lent, ou profond

LE SOMMEIL

Nous passons à dormir environ le tiers de notre vie, sans que l'on sache vraiment pourquoi. Selon certains scientifiques, pendant le sommeil, les souvenirs enregistrés dans la journée sont transmis au cortex, où ils sont archivés.

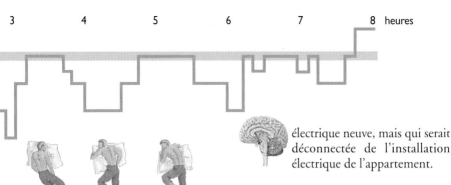

électrique neuve, mais qui serait déconnectée de l'installation électrique de l'appartement.

La communication avec le tronc et les membres

C'est indirectement que le cerveau échange des informations et des ordres avec le tronc et les membres. Les messages qu'il reçoit et transmet passent d'abord par les neurones de la moelle épinière, qui constituent avec lui le système nerveux central. De la moelle épinière, située dans l'épine dorsale ou colonne vertébrale, partent les nerfs, qui représentent le système nerveux périphérique et relient le système nerveux central à chaque partie de l'organisme. Les corps cellulaires des neurones formant les nerfs se trouvent dans la moelle épinière, et leurs axones, réunis et enveloppés d'une couche isolante de myéline, forment les cordons blancs que nous définissons comme des nerfs.

À l'intérieur de ces derniers se trouvent deux types de fibres : sensitives et motrices. Les premières sont constituées d'axones conduisant à la moelle épinière les impulsions sensorielles captées par les nerfs périphériques.

Sommeil et veille
L'alternance du sommeil et de l'état de veille ainsi que les diverses phases du sommeil sont régulées par des signaux alternativement inhibiteurs et excitants émis par le cortex.

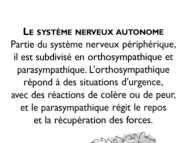

LE SYSTÈME NERVEUX AUTONOME
Partie du système nerveux périphérique,
il est subdivisé en orthosympathique et
parasympathique. L'orthosympathique
répond à des situations d'urgence,
avec des réactions de colère ou de peur,
et le parasympathique régit le repos
et la récupération des forces.

La colère
1) L'orthosympathique fait
se dilater la pupille, arrête
la salivation, accélère
les battements du cœur
et dilate les bronches
pour augmenter l'arrivée
de l'air dans les poumons.
Il provoque aussi
le relâchement de la
musculature de la vessie.

Le contrôle de la température
C'est l'une des principales tâches du système nerveux autonome, lequel régule essentiellement la transpiration.

La colère
2) En outre, il y a production d'adrénaline et d'hormones de stress. Les réserves de sucre sont mobilisées par le foie, afin de disposer de plus d'énergie. D'autres fonctions sont suspendues, comme la production de sucs gastriques et l'activité sexuelle.

Les neurones constituant les secondes transmettent les impulsions en sens inverse, soit du système nerveux central aux muscles et aux glandes.

Tous les mouvements ne sont pas commandés par le cerveau ; le corps humain peut accomplir des gestes involontaires, en général très rapides : les actes réflexes. Si,

Pendant le repos
1) Le parasympathique provoque le rétrécissement de la pupille et l'augmentation de la salivation. Les battements du cœur se ralentissent et les bronches se rétrécissent, car on a besoin de peu d'oxygène. La musculature de la vessie se contracte.

Pendant le repos
2) Les hormones du stress ne sont pas produites, le foie accumule les sucres, la production de sucs gastriques augmente, les organes sexuels sont stimulés.

par exemple, on touche une surface brûlante, la sensation de douleur parcourt une fibre nerveuse sensitive et parvient à la moelle épinière. De là part immédiatement la stimulation d'une fibre motrice, qui fait se contracter les muscles des doigts. On s'éloigne ainsi rapidement de la source de chaleur, en économisant le temps très court que le cerveau mettrait à réaliser ce qui

arrive et à ordonner à la main de se retirer. En fait, on ne se rend compte de ce qui s'est passé que lorsque le mouvement est accompli.

Les rapports avec l'extérieur
Le cerveau analyse continuellement les informations provenant du monde extérieur, mais n'a aucun contact direct avec lui.

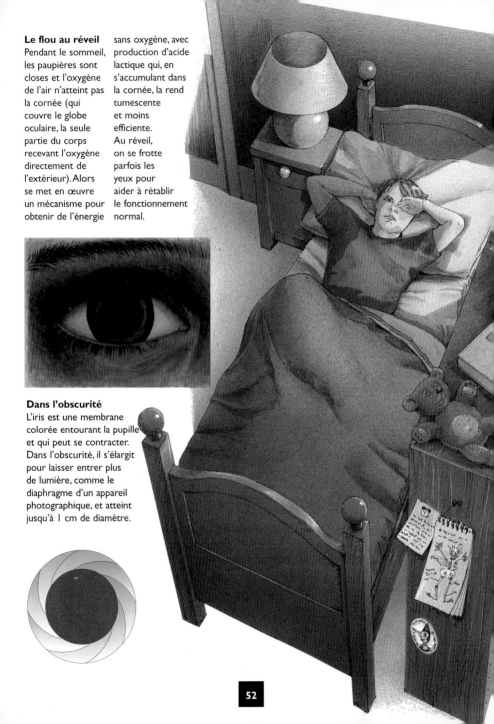

Le flou au réveil

Pendant le sommeil, les paupières sont closes et l'oxygène de l'air n'atteint pas la cornée (qui couvre le globe oculaire, la seule partie du corps recevant l'oxygène directement de l'extérieur). Alors se met en œuvre un mécanisme pour obtenir de l'énergie sans oxygène, avec production d'acide lactique qui, en s'accumulant dans la cornée, la rend tumescente et moins efficiente. Au réveil, on se frotte parfois les yeux pour aider à rétablir le fonctionnement normal.

Dans l'obscurité

L'iris est une membrane colorée entourant la pupille et qui peut se contracter. Dans l'obscurité, il s'élargit pour laisser entrer plus de lumière, comme le diaphragme d'un appareil photographique, et atteint jusqu'à 1 cm de diamètre.

S'ADAPTER POUR PERCEVOIR
Les organes des sens peuvent
accomplir de petits mouvements
d'adaptation, afin de percevoir
au mieux les stimulations
externes, même dans
les conditions les plus diverses.

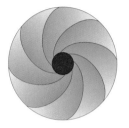

À la lumière

L'iris se contracte jusqu'à
1,5 millimètre afin d'éviter que
la rétine ne soit frappée par trop
de lumière. La dilatation de l'iris
ne dépend pas uniquement
de la lumière, mais peut être
influencée par la peur, la colère
ou la prise de stupéfiants.

Ce sont les cinq sens qui recueillent tous les renseignements sur ce qui nous entoure et, par l'intermédiaire des cellules nerveuses des organes sensoriels, les font parvenir au cerveau sous forme de signaux nerveux. Sur la base de ces informations, le cerveau se construit une image du milieu extérieur suffisamment précise pour permettre à l'homme d'y vivre.

Un objet ou un phénomène ne sont donc pour nous réels que si nous sommes en mesure de les voir, de les toucher, de les sentir ou de les goûter. Et seulement si nos sens peuvent capter un signal de leur existence.

Les informations sur le monde extérieur qui parviennent à notre cerveau sont sélectionnées et ne concernent que ce qui peut être utile à notre vie.

Nous ne pouvons capter les ultrasons, comme les chauves-souris, ni voir les rayons infrarouges comme certains insectes, pour la simple raison que, pendant des millions d'années, ce type d'informations n'a pas été vital pour les sujets de notre espèce.

C'est comme si le milieu qui nous entoure était un immeuble comportant des dizaines de pièces, mais que nous n'utilisions les clefs que de cinq d'entre elles, parce qu'elles nous suffisent pour vivre confortablement.

La vue

La vue est considérée comme le plus important de nos sens. En effet, les trois quarts de nos perceptions sont visuelles ou sont influencées par ce que nous voyons. Il suffit parfois de regarder tomber la neige pour frissonner ou de voir un beau fruit pour se mettre à saliver.

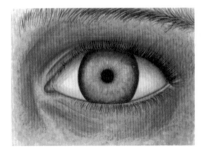

Traiter les informations

Le cerveau ne se limite pas à enregistrer les informations provenant de l'extérieur, mais les traite et les interprète. Il est, par exemple, facile de reconnaître que cet objet est une bouteille, même si elle est à demi dissimulée. Cela s'explique par le fait que le cerveau, grâce à son expérience, reconstruit la partie invisible de l'image. Cette opération est difficile, même pour l'ordinateur le plus perfectionné.

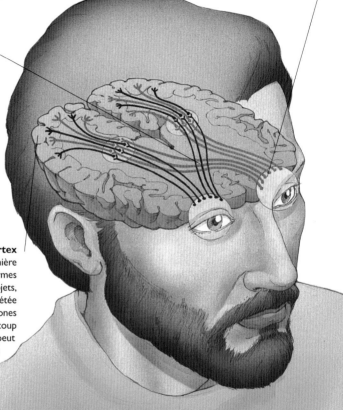

ÉLABORER LES IMAGES
L'image d'un objet, captée par les yeux, est transformée en signaux nerveux et transmise au cortex.

La rétine
Les cellules réagissent à une image en émettant un signal nerveux.

Celui-ci est transmis au cortex par des neurones des deux nerfs optiques.

Les nerfs optiques
Les fibres nerveuses provenant de la partie interne de chaque rétine se croisent dans le chiasma optique et se dirigent vers des parties opposées du cortex. Ce croisement aide le cerveau à former des images en trois dimensions.

Le cortex
Il effectue une première reconnaissance des formes et des couleurs des objets, mais l'image est complétée dans d'autres zones du cerveau. Un coup sur la tête peut exciter les neurones du cortex et donner l'impression de « voir 36 chandelles ».

 Étant donné leur importance et leur fragilité, les yeux sont placés à l'intérieur des orbites et bien protégés par les arcades sourcilières. L'œil humain ne peut percevoir que les objets émettant ou réfléchissant de la lumière, c'est-à-dire émettant des ondes électromagnétiques d'une longueur comprise entre 4 000 et 7 000 millionièmes de millimètre. La lumière pénètre dans l'œil au travers de la pupille et est mise au point par une lentille, le cristallin. Ce dernier, avec l'aide de petits muscles internes de l'œil, s'incurve pour la vision des objets rapprochés, et s'aplatit pour observer ceux qui sont plus éloignés. Après avoir été focalisée, l'image parvient à la rétine, qui l'enregistre comme le ferait une pellicule photographique. La rétine est formée de deux types de cellules : les cônes et les bâtonnets.

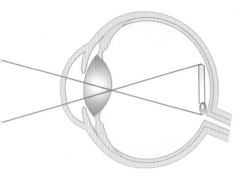

Des images renversées
Le cristallin fonctionne comme la lentille d'un appareil photographique et projette sur la rétine les images renversées. Le cerveau interprète l'image en la redressant.

Les cônes, au nombre d'environ 6,5 millions, sont spécialisés dans la vision des couleurs, mais ne sont actifs que si la lumière est intense.

Les bâtonnets (environ 125 millions) sont sensibilisés même si la lumière est faible, mais ne sont pas alors en mesure de reconnaître les couleurs. C'est pour cela que la nuit, tout apparaît en noir et blanc.

Une autre vision du monde
Le monde est très différent selon qu'il est vu par les yeux d'un chat, adaptés à l'obscurité, ceux d'un éléphant aptes à distinguer les tendres bougeons dont il se nourrit ou ceux d'un poisson au large champ visuel adapté au milieu aquatique.

**Combien
de couleurs?**
La bande centrale
est toute de
la même couleur, mais
le cerveau est frappé
par son opposition
avec le fond et croit
son extrémité
supérieure
plus foncée.

Les bâtonnets contiennent une
molécule, la rhodopsine (également appelée pourpre rétinien),
qui est un dérivé de la vitamine A, Lorsqu'elle est frappée par un rayon lumineux,
la rhodopsine intervient en émettant un
signal nerveux. Celui-ci est transmis aux
neurones du nerf optique et, par eux, au
cerveau.

Les cônes sont excités et transmettent
leurs messages au cerveau selon un mécanisme analogue à celui des bâtonnets. Leur
unique différence est qu'ils ne contiennent
pas de rhodopsine mais différentes molécules sensibles à la lumière. L'une réagit
quand elle est frappée par un rayon rouge,
une autre quand le rayon est vert, et la troisième quand il est bleu. Toutes les nuances

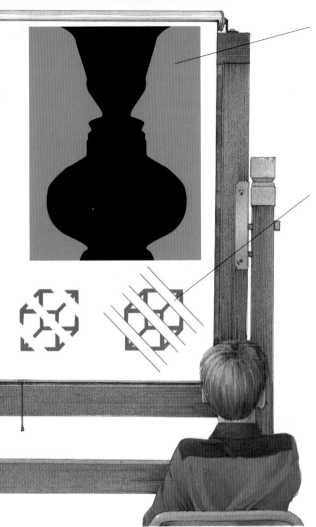

Vase ou profils ?
Il est important, dans
la définition de l'image,
de séparer la figure du
fond. Dans le cas présenté,
le cerveau perçoit
alternativement deux images :
le vase, s'il considère le fond
comme clair, ou deux profils
s'il le prend, au contraire,
pour sombre.

Qu'est-ce que c'est ?
Le cube « brisé »
apparaît plus
distinctement
si l'on matérialise les
trois bandes blanches
qui donnent l'illusion
de passer dessus.
Le cerveau n'est pas
habitué à interpréter
des éléments épars,
alors qu'il reconnaît
bien un objet
un peu masqué.

perceptibles par l'œil humain dérivent des diverses combinaisons de ces trois couleurs primaires. La majeure partie d'entre nous peut distinguer de 150 à 200 nuances, mais il y a des exceptions. Les daltoniens, par exemple, ont des difficultés à distinguer certaines nuances, parce qu'ils n'ont pas suffisamment de cônes sensibles à la lumière verte ou bleue.

Étant donné que les molécules photosensibles se séparent quand elles sont frappées par la lumière, elles doivent être sans cesse synthétisées à nouveau. Ce phénomène est mis en évidence lorsque l'on passe d'un endroit très lumineux à un autre très sombre. La lumière intense sépare, en effet, toutes les molécules photosensibles présentes dans les bâtonnets.

La cochlée
C'est un petit tube long de 35 millimètres, qui constitue l'oreille interne.

Les canaux semi-circulaires
Ils sont, comme la cochlée, pleins de liquide. Ils constituent l'appareil vestibulaire et régissent le sens de l'équilibre.

Le nerf acoustique
Il transmet au cerveau les stimulations enregistrées dans la cochlée.

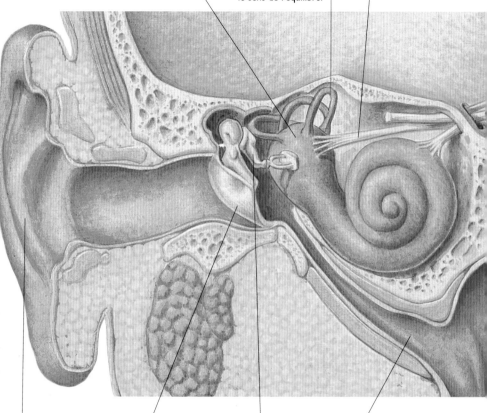

L'oreille externe
Elle recueille les sons et les achemine vers le tympan.

Le tympan
C'est une membrane épaisse de 1/10 de millimètre. Son degré de tension peut être modifié par le muscle tenseur du tympan, qui la rend ainsi plus ou moins sensible aux vibrations sonores.

L'oreille moyenne
Elle est formée du marteau, de l'enclume et de l'étrier.

La trompe d'Eustache
Un refroidissement peut obstruer l'appendice nasal. Dans ce cas, la pression sur les deux côtés du tympan devient inégale et il se produit une baisse de l'audition, qui persiste tant que l'équilibre n'est pas rétabli.

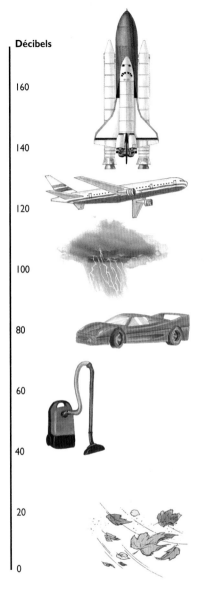

Décibels

160

140

120

100

80

60

40

20

0

Ce que l'on entend
L'intensité des sons
est définie en décibels.
La valeur de 0 décibel
a été attribuée au son
minimal perceptible

par l'Homme,
alors qu'au-dessus
de 140 décibels,
le bruit est si fort
qu'il peut provoquer
la rupture du tympan.

En passant dans le milieu sombre, on ne voit d'abord plus rien, car les molécules disponibles ont été épuisées et la lumière est insuffisante pour activer les cônes. Mais, très vite, les molécules photosensibles se reforment, les bâtonnets se remettent à fonctionner et les objets redeviennent reconnaissables.

L'ouïe

Les sons sont des vibrations des particules de l'air produites par des objets en mouvement. L'oreille humaine les perçoit lorsque leur fréquence, ou le nombre de vibrations par intervalle de temps, est comprise entre 20 et 20 000 hertz. Dans cet intervalle se trouvent tous les bruits que l'Homme a le plus besoin d'entendre, comme ceux produits par les animaux, par un objet qui tombe ou par la voix humaine, qui a une fréquence de quelques centaines de hertz.

D'autres êtres vivants ont des nécessités différentes, et leur oreille peut percevoir des longueurs d'onde diverses.

Ainsi, les éléphants communiquent en émettant des sons de basse fréquence, que nous ne captons pas mais qu'ils entendent fort bien.

De la même façon, les chauves-souris émettent et reçoivent des ultrasons avec des fréquences d'environ 50 000 hertz.

Pour l'ouïe aussi, le problème de la perception coïncide avec la nécessité de capter les stimulations extérieures et de les transformer en signaux nerveux.

À cet effet, l'oreille est divisée en plusieurs parties, chacune d'elles ayant un rôle déterminé.

L'oreille externe recueille les sons et les dirige vers le tympan. Celui-ci est une membrane qui vibre quand elle est frappée par des ondes sonores, plus ou moins intensément selon la hauteur ou l'amplitude des sons reçus.

Il est toutefois nécessaire, pour que le tympan fonctionne au mieux, que la pression de l'air soit égale sur ses deux faces et coïncide avec celle du milieu extérieur.

À cet effet, la trompe d'Eustache débouche derrière le tympan : c'est un canal long d'environ 4 cm, dont l'autre extrémité aboutit dans la cavité nasale.

Les vibrations produites par le tympan mettent en mouvement trois osselets, le marteau, l'enclume et l'étrier, qui ont pour rôle de frapper la cochlée (un petit tube en colimaçon empli de liquide). Les coups produits par le marteau, l'enclume et l'étrier contre la cochlée entraînent la formation d'ondes dans le liquide, qui se propagent jusqu'à un organe appelé ganglion de Corti. Celui-ci est formé d'environ 15 000 cellules, chacune d'elles étant pourvue d'une centaine de cils (semblables à ceux que nous avons déjà rencontrés dans l'appareil respiratoire), qui se courbent et se tordent au passage des ondes ; leur mouvement les amène à produire un signal nerveux envoyé vers le cerveau.

Le toucher

C'est le seul des cinq sens qui n'est pas situé dans la tête, mais réparti dans tout le corps.

Les sensations tactiles informent le cerveau des conditions générales du corps et de ses besoins. Elles peuvent concerner le contact, le froid et le chaud, ou encore la douleur. Elles sont captées par des terminaisons nerveuses situées dans la peau, à différents niveaux de profondeur.

L'ÉQUILIBRE
Nous pouvons le maintenir parce
que, à l'intérieur de l'oreille, dans
l'appareil vestibulaire, se trouvent
des cellules ciliées sensibles
aux changements de position.

Enregistrer
les mouvements
Les mouvements
du liquide de l'appareil
vestibulaire sont
enregistrés par différentes
cellules ciliées, suivant
qu'ils sont causés par
un mouvement de la tête,
des variations de direction
de la force de gravité
ou de déplacements
en ligne droite.

Maintenir l'équilibre
Toutes les cellules ciliées
de l'appareil vestibulaire
envoient au cerveau
des informations sur les
changements de position
du corps et les variations
de la force de gravité.
En réponse, le cerveau
commande les grands
ou petits changements
de positions permettant
de rester en équilibre.

RÉPONDRE À UNE QUESTION
Même si celle-ci est banale, il faut
mettre en œuvre plusieurs centres
du cerveau et, en premier lieu,
celui de l'audition.

La question passe
du centre auditif à
celui de Werniche,
qui structure
la réponse.

**Centre
de l'audition**

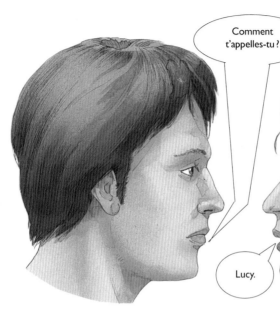

Comment
t'appelles-tu ?

Lucy.

Du centre de
Werniche, les signaux
traversent le faisceau
arqué et passent
dans la circonvolution
de Broca, qui
communique
au centre moteur

l'ordre de remuer les
lèvres et de prononcer
la réponse. Si la
circonvolution de Broca
est endommagée, on
peut penser la réponse,
mais on ne peut
articuler aucun son.

 La structure de ces terminaisons est de plusieurs types, selon la sensation qu'elles sont destinées à recevoir et à transmettre au cerveau.

Elles peuvent aboutir dans l'épiderme, s'achever au contact avec les cellules tactiles ou bien être incluses dans des organismes particuliers, comme les corpuscules de Meissner, de Pacini, de Ruffini et de Krause.

Toutes les régions du corps n'ont pas la même concentration de chaque type de terminaisons.

Aussi certaines perçoivent-elles très bien les sensations de douleur, alors que d'autres sont plus sensibles au froid, au chaud ou bien encore au contact.

Par exemple, la cornée est extrêmement sensible à la douleur, mais elle l'est peu au contact.

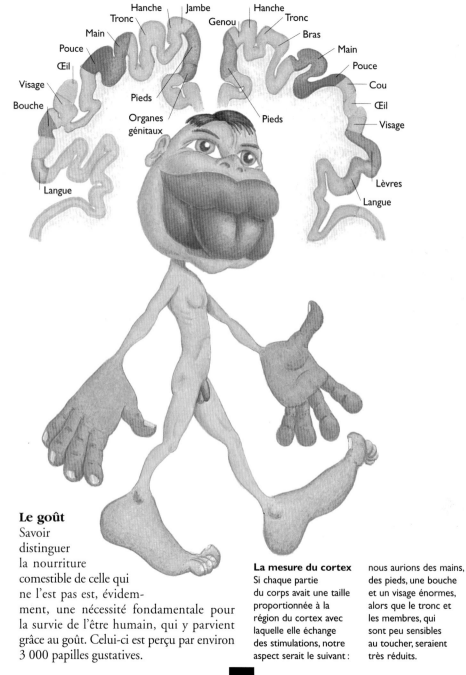

Hanche · Jambe · Hanche · Genou · Tronc · Main · Pouce · Œil · Visage · Bouche · Tronc · Bras · Main · Pouce · Cou · Œil · Visage · Pieds · Organes génitaux · Pieds · Langue · Lèvres · Langue

Le goût

Savoir distinguer la nourriture comestible de celle qui ne l'est pas est, évidemment, une nécessité fondamentale pour la survie de l'être humain, qui y parvient grâce au goût. Celui-ci est perçu par environ 3 000 papilles gustatives.

La mesure du cortex

Si chaque partie du corps avait une taille proportionnée à la région du cortex avec laquelle elle échange des stimulations, notre aspect serait le suivant : nous aurions des mains, des pieds, une bouche et un visage énormes, alors que le tronc et les membres, qui sont peu sensibles au toucher, seraient très réduits.

Le sucré, le salé, l'acide et l'amer sont reconnus par des papilles différentes, situées dans des zones définies de la langue. Toute autre saveur participe de leur combinaison.

Pour que le goût soit perçu, il faut que les molécules contenues dans la nourriture soient parfaitement en contact avec la langue, comme seul peut le faire un liquide ou une substance entièrement diluée. C'est pour cela que la saveur des aliments solides n'est distinguée que lorsqu'ils ont été suffisamment imprégnés de salive.

Le goût n'est pas un sens très efficient, et il convient souvent de l'aider avec d'autres sens, en particulier la vue et l'odorat. Il n'est pas facile de distinguer, les yeux bandés et le nez bouché, le goût d'un jus d'orange de celui d'un pamplemousse.

L'odorat

L'odorat ou olfaction a pour siège le nez et, s'il participe au goût, il a pour fonction essentielle de percevoir les odeurs. Il avertit le corps de la qualité de la nourriture ingérée, mais transmet également des sensations agréables ou désagréables touchant aux objets présents dans le milieu environnant.

Pour que l'on puisse percevoir l'odeur d'une chose quelconque, il faut que se détachent d'elle des molécules ou des particules volatiles, et que celles-ci soient inspirées par le nez.

Il y a dans la partie supérieure de ce dernier des cellules particulières, dites olfactives, qui retiennent la molécule grâce à des cils minuscules. Elles envoient en même temps un signal au cerveau, qui l'identifie comme étant celui d'une odeur déterminée.

L'odorat humain est en mesure de distinguer jusqu'à 10 000 odeurs différentes.

LA SENSIBILITÉ DE LA PEAU
La peau renferme divers types de récepteurs tactiles.

Les terminaisons nerveuses libres
Elles reçoivent généralement des stimulations de douleur, mais certaines sont sensibles au contact.

Les cellules tactiles
Elles enregistrent les sensations de contact et les transmettent à des terminaisons nerveuses libres voisines.

Corpuscules de Pacini · Corpuscules de Ruffini · Corpuscules de Meissner

Corpuscules de Krause · Cellules tactiles · Terminaisons nerveuses libres

Les corpuscules de Pacini
Sensibles à la pression, ils sont formés de la terminaison d'une fibre nerveuse immergée dans une substance gélatineuse et enfermée dans un involucre à lamelles concentriques. Ils sont larges d'environ 1 à 2 millimètres.

Les corpuscules de Ruffini
Sensibles à la chaleur, ils ont une structure fusiforme renfermant une terminaison nerveuse ramifiée. Leur longueur est de 0,2 à 2 millimètres.

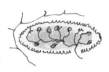

Les corpuscules de Meissner
Sensibles au contact., ils sont formés d'un involucre contenant une terminaison nerveuse divisée en de nombreuses ramifications. Ils sont longs d'environ 40 à 100 millièmes de millimètre.

Les corpuscules de Krause
Sensibles au froid, ils sont semblables aux corpuscules de Pacini, mais sont plus petits et de forme plus arrondie.

ILLUSIONS TACTILES
Comme tous les sens, le toucher peut tromper. En tenant un objet entre deux doigts croisés, on peut facilement croire que l'on touche deux objets différents placés sur les côtés des doigts.

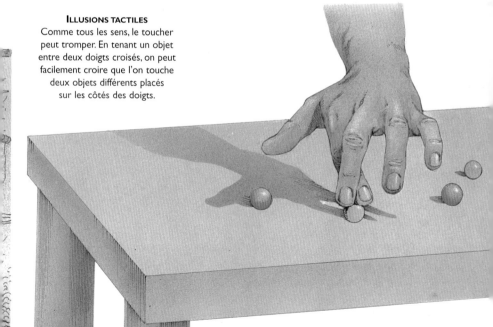

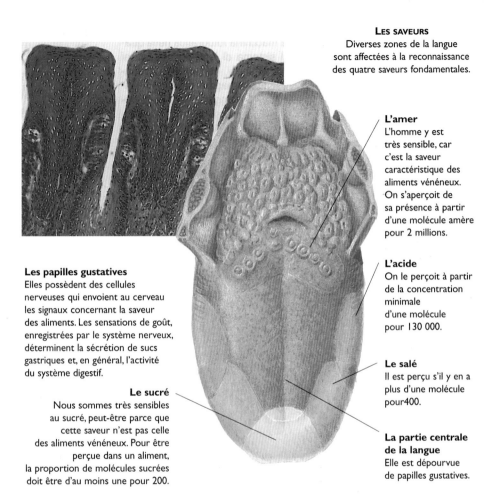

LES SAVEURS
Diverses zones de la langue
sont affectées à la reconnaissance
des quatre saveurs fondamentales.

L'amer
L'homme y est
très sensible, car
c'est la saveur
caractéristique des
aliments vénéneux.
On s'aperçoit de
sa présence à partir
d'une molécule amère
pour 2 millions.

L'acide
On le perçoit à partir
de la concentration
minimale
d'une molécule
pour 130 000.

Les papilles gustatives
Elles possèdent des cellules
nerveuses qui envoient au cerveau
les signaux concernant la saveur
des aliments. Les sensations de goût,
enregistrées par le système nerveux,
déterminent la sécrétion de sucs
gastriques et, en général, l'activité
du système digestif.

Le salé
Il est perçu s'il y en a
plus d'une molécule
pour400.

Le sucré
Nous sommes très sensibles
au sucré, peut-être parce que
cette saveur n'est pas celle
des aliments vénéneux. Pour être
perçue dans un aliment,
la proportion de molécules sucrées
doit être d'au moins une pour 200.

**La partie centrale
de la langue**
Elle est dépourvue
de papilles gustatives.

Afin de mieux sentir, on fait parfois une inspiration profonde, et l'on peut ainsi augmenter le nombre de molécules parvenant aux cils des cellules olfactives.

Il arrive aussi que l'on perde l'odorat pendant quelque temps. Cela peut se produire à la suite d'un rhume ou parce que les abondantes sécrétions de la muqueuse nasale empêchent l'air de parvenir aux cel-

lules olfactives, ou encore que l'infection détruit des cellules importantes pour la reconnaissance des odeurs. Cette altération peut également intervenir lors d'une grossesse ; des odeurs, auparavant agréables, vont alors jusqu'à provoquer du dégoût.

Le système endocrinien

Le corps ne répond pas toujours à une sensation provenant de l'extérieur, captée

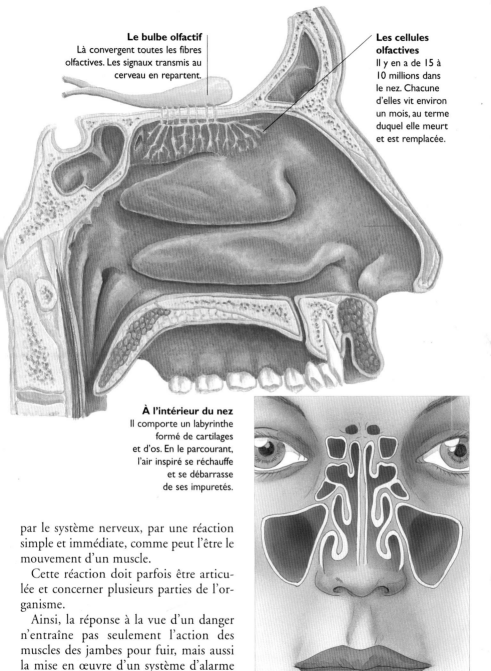

Le bulbe olfactif
Là convergent toutes les fibres olfactives. Les signaux transmis au cerveau en repartent.

Les cellules olfactives
Il y en a de 15 à 10 millions dans le nez. Chacune d'elles vit environ un mois, au terme duquel elle meurt et est remplacée.

À l'intérieur du nez
Il comporte un labyrinthe formé de cartilages et d'os. En le parcourant, l'air inspiré se réchauffe et se débarrasse de ses impuretés.

par le système nerveux, par une réaction simple et immédiate, comme peut l'être le mouvement d'un muscle.

Cette réaction doit parfois être articulée et concerner plusieurs parties de l'organisme.

Ainsi, la réponse à la vue d'un danger n'entraîne pas seulement l'action des muscles des jambes pour fuir, mais aussi la mise en œuvre d'un système d'alarme complexe conditionnant aussi bien le comportement de l'appareil digestif que celui des appareils respiratoire et circulatoire.

Une telle mobilisation généralisée ne peut être obtenue par des stimulations directes, comme celles des cellules nerveuses. Elle est confiée à un réseau de communication plus capillaire : le système hormonal.

Ce dernier a pour tâche de garantir les communications entre les organes internes, de façon à coordonner les processus physiologiques qui se produisent sans que nous en ayons conscience.

LES PRINCIPALES GLANDES ENDOCRINES

Dans l'ensemble, elles ne pèsent que 150 grammes, mais elles influencent profondément l'organisme tout entier. Il suffit, en effet, de moins d'une molécule d'hormone par million de molécules dissoutes dans le sang pour déclencher des troubles graves.

L'épiphyse
Elle produit la mélatonine, une hormone qui règle le cycle sommeil-veille et influe sur le développement des organes sexuels.

Le pancréas
Il produit l'insuline et le glucagon, deux hormones qui règlent la présence des sucres dans le sang.

Ovaires

Glande endocrine **Glande exocrine** **Cellule** **Vaisseaux sanguins**

Hormones

Endocrines/exocrines
On distingue les glandes endocrines et les exocrines. Les premières sécrètent les hormones, que transporteront les vaisseaux sanguins. Les secondes déversent leur produit soit à la surface de la peau (glandes sudoripares), soit dans un organe communiquant directement avec l'extérieur (glandes digestives par exemple).

La thyroïde
Elle contrôle
le métabolisme et
la rapidité avec laquelle
on consomme
les réserves
énergétiques. Si la
nourriture est pauvre
en iode, la thyroïde
grossit énormément
et le goitre apparaît.

L'hypophyse
Elle a pour rôle
de contrôler l'action
des autres glandes
et de produire des
hormones agissant
directement. Parmi
celles-ci, on trouve
la vasopressine,
qui augmente
la pression sanguine.

Les glandes surrénales
Elles influent sur l'activité
du système nerveux
autonome produisant
l'adrénaline et
la noradrénaline, sur
le métabolisme à travers
le cortisol, et sur
la circulation sanguine
par d'autres hormones.

Les parathyroïdes
Situées derrière la
thyroïde, elles règlent
la concentration
de calcium, importante
dans la contraction
musculaire et
la communication
avec les neurones.

Testicules

Testicules et ovaires
En plus de leurs
productions respectives
de spermatozoïdes et d'ovules,
ils sécrètent les hormones
sexuelles régissant
le développement des organes
sexuels chez les deux sexes,
et la reproduction.

Nous avons déjà rencontré l'insuline et le glucagon, deux hormones sécrétées par le pancréas réglant le taux de sucre dans le sang et jouant, par conséquent, un rôle dans les sensations de faim et de soif. La coordination de processus plus importants, comme ceux de la croissance, du développement et de la reproduction, dépend, d'autres hormones.

Au point de vue moléculaire, les hormones sont principalement les lipides et les protéines. Elles sont produites par un système de glandes, dites endocrines, qui les déversent directement dans le sang. Elles sont alors transportées dans tout l'organisme et captées par les cellules possédant sur leur membrane des récepteurs adéquats, c'est-à-dire une molécule s'unissant parfaitement aux hormones. Ces dernières ont évidemment chacune son récepteur propre.

Les glandes endocrines agissent sous le contrôle étroit du système nerveux, et en particulier de l'hypothalamus. C'est là qu'affluent en permanence, venant des autres parties du système nerveux, des informations concernant le milieu extérieur ou les organes internes.

En réponse, l'hypothalamus envoie des stimulations à l'hypophyse, une glande grosse comme un petit pois, qui assume le rôle de « chef d'orchestre » du système hormonal.

Elle sécrète pour cela des hormones envoyées aux autres glandes endocrines, qui sont ainsi stimulées ou inhibées dans la production de leurs propres hormones.

L'hypophyse produit, en outre, d'autres hormones agissant directement sur d'autres processus, comme, par exemple, la croissance du corps.

LORSQU'ON A PEUR
L'organisme a alors besoin de mettre rapidement en éveil toutes les parties du corps à la fois. Il communique ainsi par une hormone, l'adrénaline, produite par les glandes surrénales en même temps que la noradrénaline.

Noradrénaline et adrénaline
La première envoie des signaux d'alarme typiques du système orthosympathique. Ce dernier est également activé directement par la noradrénaline pour renforcer les effets de l'adrénaline.

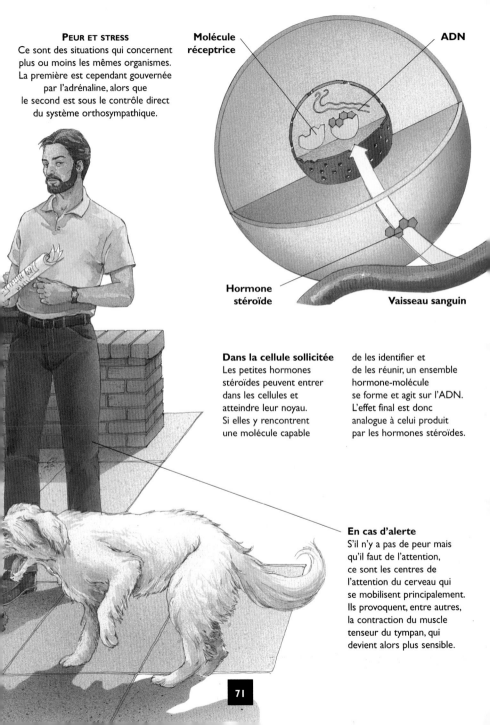

PEUR ET STRESS
Ce sont des situations qui concernent plus ou moins les mêmes organismes. La première est cependant gouvernée par l'adrénaline, alors que le second est sous le contrôle direct du système orthosympathique.

Molécule réceptrice

ADN

Hormone stéroïde

Vaisseau sanguin

Dans la cellule sollicitée
Les petites hormones stéroïdes peuvent entrer dans les cellules et atteindre leur noyau. Si elles y rencontrent une molécule capable de les identifier et de les réunir, un ensemble hormone-molécule se forme et agit sur l'ADN. L'effet final est donc analogue à celui produit par les hormones stéroïdes.

En cas d'alerte
S'il n'y a pas de peur mais qu'il faut de l'attention, ce sont les centres de l'attention du cerveau qui se mobilisent principalement. Ils provoquent, entre autres, la contraction du muscle tenseur du tympan, qui devient alors plus sensible.

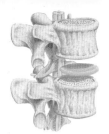

LE CORPS HUMAIN EN MOUVEMENT

Un être humain se reconnaît de prime abord à sa forme. Mais c'est par le mouvement qu'il manifeste qu'il est vivant et qu'il agit. Tant la forme que les mouvements du corps sont déterminés par l'existence des os et des muscles.

Se soutenir, quel problème !

Le squelette est l'échafaudage du corps humain. C'est sur lui que s'ancrent les muscles et les systèmes de levier sur lesquels ils agissent, provoquant ainsi les mouvements.

De plus, les os entourent et protègent les organes délicats et constituent une réserve de minéraux (comme le calcium), qui est libérée au gré des besoins et transmise aux cellules. Mais le plus étonnant, ce sont les extraordinaires propriétés mécaniques des

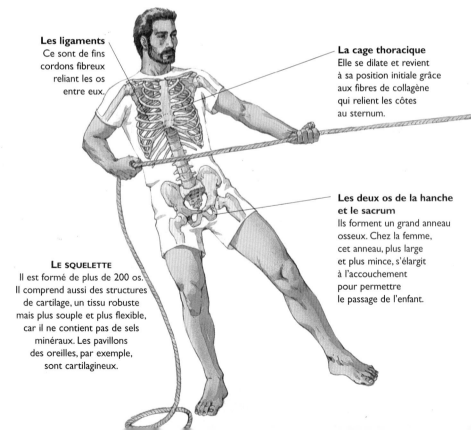

Les ligaments
Ce sont de fins cordons fibreux reliant les os entre eux.

La cage thoracique
Elle se dilate et revient à sa position initiale grâce aux fibres de collagène qui relient les côtes au sternum.

Les deux os de la hanche et le sacrum
Ils forment un grand anneau osseux. Chez la femme, cet anneau, plus large et plus mince, s'élargit à l'accouchement pour permettre le passage de l'enfant.

LE SQUELETTE
Il est formé de plus de 200 os. Il comprend aussi des structures de cartilage, un tissu robuste mais plus souple et plus flexible, car il ne contient pas de sels minéraux. Les pavillons des oreilles, par exemple, sont cartilagineux.

os. Ils font partie des matériaux les plus robustes qui soient : 1 cm^3 d'os peut supporter un poids de 500 kilos. Par ailleurs, ils sont flexibles, comme le montre leur résistance aux chocs et aux chutes.

Ils sont également légers. Le squelette d'un homme pèse en moyenne 9 kilos, un quart de ce qu'il pèserait s'il était en acier.

Cette résistance des os au poids et aux chocs tient à leur structure, constituée par un ensemble de divers composants. Près de 65 % d'un os sont formés de sels de calcium et de phosphore, qui en constituent la partie dure. Il s'y ajoute des fibres de collagène, une substance élastique qui empêche l'os de se briser, même en cas de torsions, tant que celles-ci restent dans certaines limites.

La rigidité du squelette peut laisser penser qu'il s'agit d'un tissu mort, mais il n'en est rien.

Il existe, en effet, dans les os, outre le collagène et les sels minéraux, deux types de cellules : les ostéoclastes, qui

LES MUSCLES
Le corps bouge grâce à près de 600 muscles contrôlés par la volonté. Il s'y ajoute le cœur et des muscles permettant la contraction des organes, qui accomplissent des mouvements involontaires.

Les muscles dorsaux
Ils sont développés en largeur.

Les muscles des membres
Ils sont développés en longueur, comme le biceps.

LES MUSCLES COURTS
Ils entourent les yeux et les orifices du corps. Ces muscles, de formes très variables, se trouvent aussi autour des articulations et de la colonne vertébrale.

Les tendons
Ce sont des faisceaux fibreux qui ancrent les muscles aux os, assurant la liaison entre le squelette et l'appareil musculaire.

Les tissus autour du fémur fracturé enflent : de ce fait, la zone traumatisée reçoit plus d'éléments nutritifs et d'oxygène. En outre, la jambe enflée et douloureuse est un signal permanent qui rappelle qu'il faut éviter d'autres chocs.

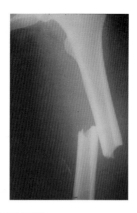

La seule chose que puisse faire le chirurgien est de réunir les deux extrémités de l'os pour qu'elles se ressoudent d'elles-mêmes. Dans ce cas, on a recours à un support spécifique extérieur.

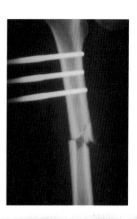

SE CASSER AU BON ENDROIT

La structure de l'os est telle qu'en cas de pression excessive il peut se casser en son point le plus mince. Le coup est absorbé et ne se répercute pas en d'autres points du squelette, ce qui évite de plus grands dommages.

La douleur bloquée

Dès l'accident, le cerveau reçoit des signaux des neurones au voisinage de l'os et atténue pendant quelques minutes la transmission des sensations de douleur. Ainsi, le blessé n'est pas paralysé et peut s'éloigner si le danger subsiste.

Les ostéoblastes présents dans l'os avant l'accident se sont multipliés et, huit heures après la fracture, ont entamé leur œuvre de reconstruction. Un mois plus tard, le travail est bien avancé.

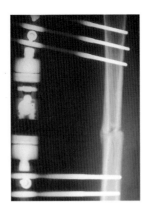

Cinq mois après l'accident, l'os est parfaitement réparé, mais la partie reconstruite est légèrement plus épaisse. L'os retrouvera sa forme optimale au cours des mois suivants.

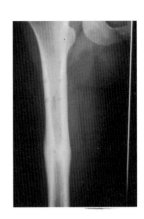

détruisent en permanence les parties les plus vieilles de l'os, et les ostéoblastes qui les reconstruisent. Les os sont donc soumis à un perpétuel renouvellement, les points les plus sujets à tensions étant sans cesse renforcés. Par exemple, ceux des pieds des ballerines se déforment pour permettre au corps de se tenir sur les pointes. De même, le squelette des astronautes s'affaiblit dans l'espace, en raison du manque d'efforts dû à l'absence de gravité ; il revient rapidement à la norme lors du retour sur Terre.

Si une carence en calcium se fait sentir, les ostéoclastes intensifient leur travail pour libérer une plus grande quantité de ce minéral et le rendre disponible pour les autres cellules.

Le calcium contenu dans les os constitue donc une réserve pour le corps entier, et ceux-ci la reconstituent aussi vite que possible.

Chez les personnes âgées, il peut arriver que le processus de destruction ne soit pas suivi d'une égale reconstruction : c'est alors l'ostéoporose, qui rend les os plus fragiles. Pour permettre aux ostéoclastes et ostéoblastes de remplir leur fonction, les os sont parcourus par un réseau de vaisseaux sanguins, renfermés dans de très petits canaux. L'intérieur des côtes, des vertèbres, des os du bassin et du crâne contient la moelle osseuse rouge. C'est là que sont produites toutes les cellules du sang. Par ailleurs, les os longs des membres contiennent de la moelle osseuse jaune, formée en majeure partie de tissu adipeux. C'est une réserve énergétique d'urgence, consommée lorsque la graisse du corps a déjà été brûlée.

Comment bouge-t-on ?

La charpente solide du squelette constitue un système de levier qui se met en mouvement sous l'action de près de 600 muscles volontaires, ancrés aux os par de petits cordons de tissu appelés tendons. Les muscles représentent normalement 23 % du poids des femmes et 40 % de celui des hommes. Chaque muscle volontaire est parcouru par des nerfs ayant leur origine dans la moelle épinière et n'entre en mouvement que s'il en reçoit le stimulus. Ces nerfs reçoivent des impulsions depuis les zones du cerveau qui sont le siège de la volonté. Toutefois, chez un adulte, une grande partie des mouvements, comme marcher ou saisir un objet, sont exécutés si souvent qu'ils en deviennent automatiques.

Ces mouvements sont dont effectués de façon inconsciente, sans intervention des régions du cerveau affectées à un type de réflexion telle que « comment et pourquoi accomplir tel mouvement ? » Ce processus inconscient n'est cependant pas inné, il s'acquiert par la pratique au cours des premières années de vie.

Les cellules qui composent les muscles volontaires ne sont pas isolées, mais assemblées de façon telle qu'elles forment des

Après la naissance
Le squelette du fœtus est initialement constitué de cartilage, peu à peu remplacé par des os à partir du deuxième mois de grossesse. Après la naissance, il subsiste des zones cartilagineuses qui correspondent aux points de croissance des os et qui disparaissent lorsque la croissance est terminée.

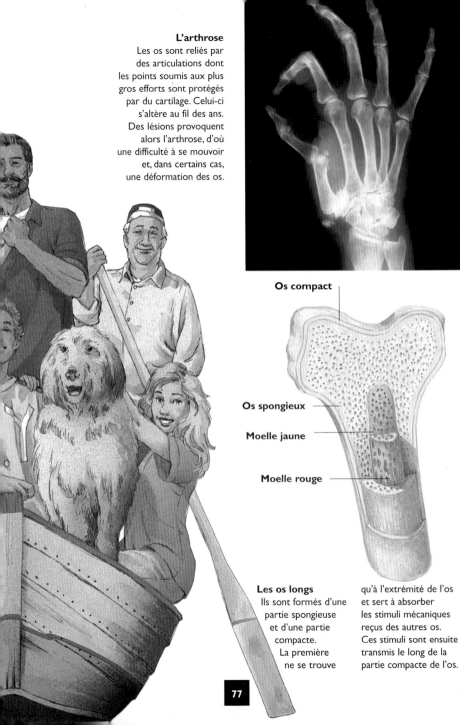

L'arthrose
Les os sont reliés par des articulations dont les points soumis aux plus gros efforts sont protégés par du cartilage. Celui-ci s'altère au fil des ans. Des lésions provoquent alors l'arthrose, d'où une difficulté à se mouvoir et, dans certains cas, une déformation des os.

Os compact

Os spongieux

Moelle jaune

Moelle rouge

Les os longs
Ils sont formés d'une partie spongieuse et d'une partie compacte. La première ne se trouve qu'à l'extrémité de l'os et sert à absorber les stimuli mécaniques reçus des autres os. Ces stimuli sont ensuite transmis le long de la partie compacte de l'os.

LES ARTICULATIONS

La majeure partie des os peut se mouvoir par rapport aux autres grâce à des articulations mobiles. Pour réduire les frottements, ils sont enveloppés dans une gaine de tissu lisse, remplie d'un liquide lubrifiant, un peu comme de l'huile dans les rouages d'un moteur.

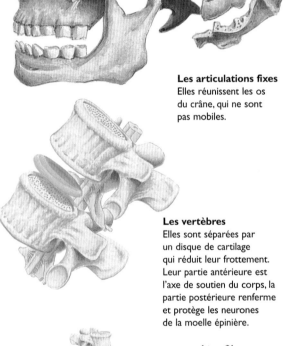

Les articulations fixes
Elles réunissent les os du crâne, qui ne sont pas mobiles.

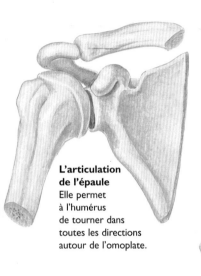

L'articulation de l'épaule
Elle permet à l'humérus de tourner dans toutes les directions autour de l'omoplate.

Les vertèbres
Elles sont séparées par un disque de cartilage qui réduit leur frottement. Leur partie antérieure est l'axe de soutien du corps, la partie postérieure renferme et protège les neurones de la moelle épinière.

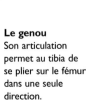

Le genou
Son articulation permet au tibia de se plier sur le fémur dans une seule direction.

structures appelées fibres musculaires. Leur nombre, fixé à la naissance, n'augmente pas avec l'exercice physique, mais l'entraînement sportif peut faire varier les dimensions de chaque fibre et entraîner une augmentation de la masse musculaire.

En effet, il existe deux types de fibres : les fibres striées blanches à contraction

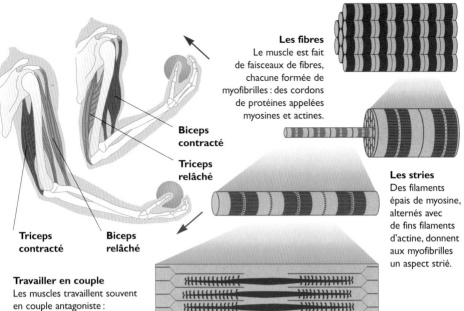

Les fibres
Le muscle est fait de faisceaux de fibres, chacune formée de myofibrilles : des cordons de protéines appelées myosines et actines.

Biceps contracté

Triceps relâché

Les stries
Des filaments épais de myosine, alternés avec de fins filaments d'actine, donnent aux myofibrilles un aspect strié.

Triceps contracté

Biceps relâché

Travailler en couple
Les muscles travaillent souvent en couple antagoniste : quand l'un se contracte, l'autre se relâche. Ainsi, quand on abaisse l'avant-bras, le triceps se contracte et le biceps se relâche. Quand on l'élève, le contraire se produit.

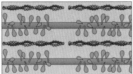

La contraction
Le muscle détendu, les filaments d'actine sont éloignés les uns des autres.

Pendant la contraction, ils se rapprochent en glissant sur les filaments de myéline.

De l'énergie pour le muscle
Il y a des espèces de crochets sur les filaments de myosine : durant la contraction, ils relient et rapprochent peu à peu les filaments d'actine. Pour cette opération, l'ATP est nécessaire.

lente restent en activité longtemps et sans interruption ; les autres, à contraction rapide, supportent des fatigues intenses mais brèves.

La pratique soutenue d'un sport permet d'acquérir la capacité de maintenir les muscles en activité plus longtemps, car les fibres blanches sont partiellement converties en fibres rouges.

Pour se contracter naturellement, les muscles ont besoin d'énergie ; ils l'obtiennent en consommant leurs réserves d'ATP. Si l'effort est trop intense, la quantité d'oxygène peut ne pas suffire pour assurer la respiration cellulaire. Il faut alors l'activer par un mécanisme d'urgence, qui permet de produire de l'ATP en l'absence d'oxygène, même en quantité moindre.

L'acide lactique, une substance acide, joue alors le rôle de molécule de rechange : il s'accumule dans les muscles, provoquant une douleur. Mais si l'effort se prolonge trop longtemps, les muscles épuisent toutes les réserves d'énergie et se raidissent temporairement, ce qui entraîne des crampes. Un massage, qui favorise l'afflux de sang et le retrait de l'acide lactique, fait retrouver aux muscles leur état normal. L'acide lactique est renvoyé au foie, qui le reconvertit en sucres, en déclenchant une réaction chimique pour laquelle l'oxygène est nécessaire : il faut donc, pour obtenir cette molécule, continuer à respirer pendant quelque temps, de façon profonde et intense, même après la fin de l'effort physique.

En plus des muscles volontaires ou striés, le corps possède d'autres muscles, innervés par des fibres du système nerveux, non contrôlés par la volonté. Ce sont les muscles lisses, qui tapissent les organes internes et les vaisseaux sanguins, ainsi que le muscle cardiaque.

À la différence des muscles striés, les muscles lisses ne sont pas organisés en fibres mais en cellules distinctes, ne fusionnant pas entre elles.

LE MUSCLE CARDIAQUE
Il est très robuste et se contracte sans interruption toute la vie. Mais avec les années, le risque de troubles cardiaques augmente beaucoup, en particulier l'infarctus. D'autres facteurs prédisposent à cette maladie : l'hérédité, la vie sédentaire, les aliments trop gras, le stress et le tabac.

Pendant l'effort
Le volume d'air pompé par les poumons peut augmenter de vingt fois. Le rythme cardiaque peut passer de 70 à 120 battements par minute.

LE CHOLESTÉROL

Il se forme dans les vaisseaux sanguins des plaques de graisse appelée cholestérol, dont la quantité augmente avec l'âge. Si la circulation sanguine est très rapide, l'une de ces plaques peut se rompre : il se crée autour d'elle un caillot de sang qui obstrue un vaisseau sanguin.

L'infarctus du myocarde

Il se produit si une artère en relation avec le cœur se bouche. Dans ce cas, les cellules du cœur ne reçoivent plus d'oxygène et la mort peut survenir.

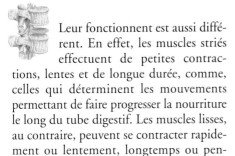

Leur fonctionnent est aussi différent. En effet, les muscles striés effectuent de petites contractions, lentes et de longue durée, comme, celles qui déterminent les mouvements permettant de faire progresser la nourriture le long du tube digestif. Les muscles lisses, au contraire, peuvent se contracter rapidement ou lentement, longtemps ou pendant de brefs instants, selon les besoins.

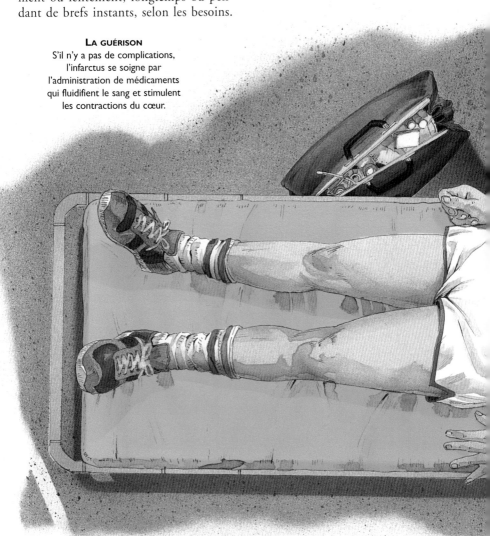

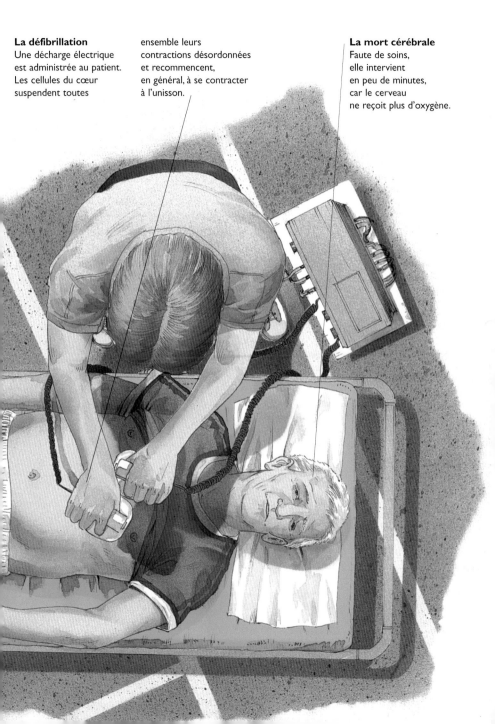

La défibrillation
Une décharge électrique
est administrée au patient.
Les cellules du cœur
suspendent toutes

ensemble leurs
contractions désordonnées
et recommencent,
en général, à se contracter
à l'unisson.

La mort cérébrale
Faute de soins,
elle intervient
en peu de minutes,
car le cerveau
ne reçoit plus d'oxygène.

LE CORPS HUMAIN SE DÉFEND

Pour que le corps humain survive et fonctionne bien, il ne suffit pas que chacune de ses parties reçoive constamment ce dont elle a besoin. Il faut aussi que l'organisme tout entier sache se défendre contre les dangers présents dans son propre milieu.

Les véritables ennemis de l'espèce humaine ne sont pas les gros prédateurs que nous avons, avec le temps, appris à tenir à distance, mais des milliards de petits organismes et de virus. Ceux-ci peuvent pénétrer dans le corps, l'attaquer de l'intérieur et provoquer des maladies, en détruisant les cellules ou en produisant des substances vénéneuses qui les intoxiquent.

Pour limiter les agressions, le corps humain est entièrement enveloppé de peau et les voies de communication entre son intérieur et son extérieur sont réduites au minimum. Malgré cela, certaines ouvertures sont inévitables, principalement celles qui permettent l'entrée de l'air et de la nourriture, et la sortie des excréments, ainsi que les yeux, les oreilles et les voies

LES CHEVEUX
Ils protègent la tête des échauffements ou refroidissements excessifs. En outre, au cours de l'évolution, ils ont acquis un rôle important d'attraction sexuelle.

Les cheveux ondulés ont une section ovale.

Les cheveux lisses ont une section ronde.

Les cheveux bouclés ont une section polyédrique.

sexuelles. Ces entrées sont défendues par des mécanismes et des pièges, tout comme les portes d'un château médiéval. Ainsi, la salive, les sécrétions du nez, les larmes et l'urine contiennent du lysozyme, une enzyme dangereuse pour bien des bactéries. Le siège des voies génitales féminines est rendu acide et inhospitalier par la présence d'acide lactique. L'acide présent dans l'estomac et l'intestin grêle rend la vie difficile aux agents pathogènes qui s'infiltrent dans l'appareil digestif. Et si d'aventure quelque bactérie parvient dans le gros intestin, elle se trouve en compétition avec les « bonnes » bactéries qui y vivent et parvient difficilement à s'y faire une place.

La peau
Elle est constituée de trois couches : l'hypoderme, le derme et l'épiderme. Ce dernier renferme beaucoup de kératine, composant principal des poils, des cheveux et des ongles.

Les glandes sudoripares
Elles produisent la sueur, qui contribue à assurer au corps une température constante et constitue un moyen d'expulsion de certains déchets.

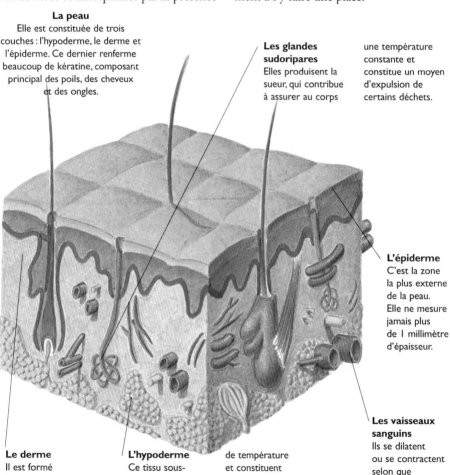

L'épiderme
C'est la zone la plus externe de la peau. Elle ne mesure jamais plus de 1 millimètre d'épaisseur.

Les vaisseaux sanguins
Ils se dilatent ou se contractent selon que le corps doit conserver de la chaleur ou en éliminer.

Le derme
Il est formé de protéines qui rendent la peau résistante et élastique.

L'hypoderme
Ce tissu sous-cutané est surtout composé de lipides, qui protègent le corps des écarts de température et constituent une réserve énergétique. Quand on grossit, cette couche s'épaissit.

Les nuances de la couleur de la peau

Elles sont dues à une variation dans la quantité et le type de pigment produit par les mélanocytes. Le nombre de ces cellules est indépendant de la couleur de la peau : il est d'environ 1 % du nombre global de cellules de la peau.

Le mucus, on l'a vu, tapisse les voies respiratoires et prend au piège les ennemis qui s'y sont aventurés, tandis que le mouvement des cils les éloigne. La toux et les éternuements sont d'autres façons d'éliminer les hôtes indésirables ; il s'y ajoute, en cas d'urgence, le vomissement et la diarrhée.

Si, malgré tout cela, les organismes pathogènes parviennent à pénétrer dans les tissus, le corps déclenche des mécanismes

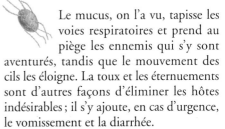

Les rayons ultraviolets

Ils sont émis par le soleil et provoquent dans les mélanocytes une réaction chimique qui entraîne l'augmentation de la production de mélanine, laquelle est ensuite distribuée dans toutes les cellules de l'épiderme.

de défense plus directs, en mobilisant les cellules du système immunitaire.

La première défense : la peau

Pour recouvrir le corps humain, il faut de 1,5 à 2 m^2 de peau, ce qui constitue environ 12 % du poids d'une personne. Son épaisseur est variable : celle des paupières est de quelques dixièmes de millimètre, mais, à la plante des pieds et aux zones sujettes aux frottements, elle est plus épaisse. La peau est constituée de nombreuses couches de cellules. Les plus jeunes se situent en profondeur. Mais au fil des jours, elles remontent vers la surface (poussées par de nouvelles cellules nées après elles), se font plus plates et se remplissent d'une substance appelée kératine, qui les rend plus résistantes. Les cellules des couches les plus extérieures de la peau sont mortes et pleines de kératine : en cas de chocs, leur présence protège la peau de l'effritement.

Coup de soleil
Les rayons du soleil endommagent les cellules de la peau, qui ont besoin, pour être réparées, de principes nutritifs. Pour cela, le sang afflue à la surface de la peau : c'est le coup de soleil.

LE BRONZAGE
La couleur de la peau est en partie programmée génétiquement, mais elle s'assombrit sous l'action prolongée des rayons solaires.

La mélanine
Sa présence rend la peau plus résistante au soleil et protège l'ADN des rayons ultraviolets. C'est pour cette raison que les peaux claires, qui ont moins de mélanine, sont plus sensibles.

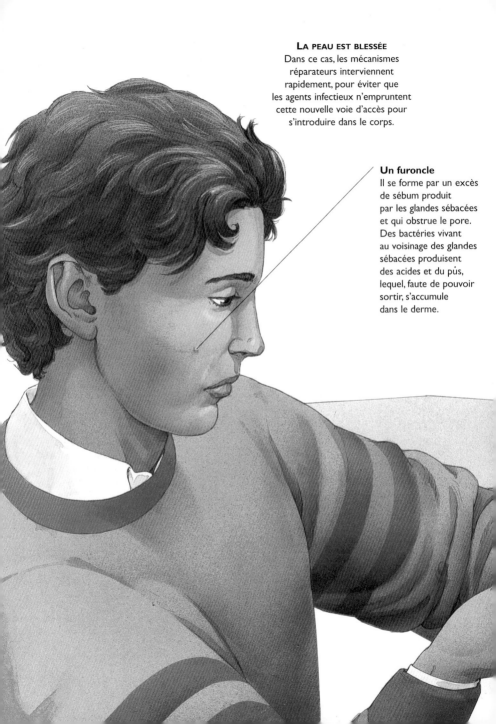

LA PEAU EST BLESSÉE
Dans ce cas, les mécanismes
réparateurs interviennent
rapidement, pour éviter que
les agents infectieux n'empruntent
cette nouvelle voie d'accès pour
s'introduire dans le corps.

Un furoncle
Il se forme par un excès
de sébum produit
par les glandes sébacées
et qui obstrue le pore.
Des bactéries vivant
au voisinage des glandes
sébacées produisent
des acides et du pûs,
lequel, faute de pouvoir
sortir, s'accumule
dans le derme.

Une cellule de la peau vit en moyenne un mois et celles qui arrivent à la couche la plus externe sont en permanence éliminées par desquamation.

Le détachement continu des cellules de l'épiderme permet difficilement aux micro-organismes de s'installer à la surface du corps.

Il n'empêche que l'on trouve sur la surface d'un individu près de 5 milliards d'êtres vivants, presque autant que la population de la Terre.

La majeure partie de nos hôtes sont des bactéries ou des champignons tout à fait inoffensifs.

Naturellement, chaque partie de notre corps abrite des types d'organismes particuliers, et les habitants de la peau sèche du front diffèrent autant de ceux qui vivent à la base grasse des cheveux qu'un chameau d'un ours polaire.

On trouve aussi dans l'épiderme les mélanocytes, ces cellules qui produisent le pigment sombre appelé mélanine. Celle-ci colore la carnation et joue un rôle de

Une blessure
Le processus de réparation commence par la coagulation du sang, ce qui empêche toute hémorragie excessive et interdit l'entrée aux germes pathogènes. Ce second but est atteint plus facilement par la désinfection de la zone endommagée.

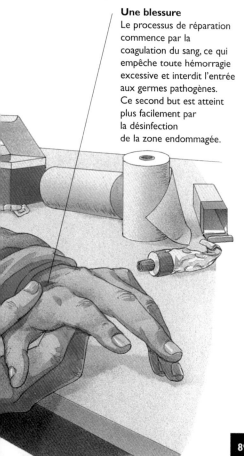

Vaisseau sanguin

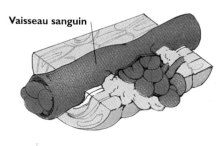

La coagulation
Quand se produit une blessure, les plaquettes entrent en action : ce sont des fragments de cellules, dites mégacaryocytes, qui circulent dans le sang. Elles s'attaquent aux parois du vaisseau sanguin lésé et créent la coagulation en tendant un filet qui, en association avec une autre protéine, la fibrine, piège quelques globules rouges et referme le vaisseau sanguin.

Réseau de fibrine

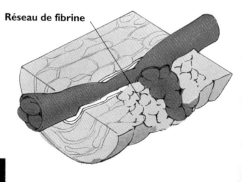

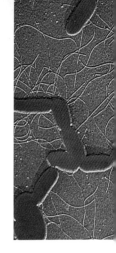

LES PETITS ENNEMIS

Les maladies peuvent être causées par des infections dues à de nombreux types d'organismes et micro-organismes.

Les bactéries

Ce sont des organismes primitifs, formés d'une seule cellule, comme *Salmonella typhi*, qui provoque le typhus. Elles n'ont ni noyau, ni organites, ni autres structures spécialisées.

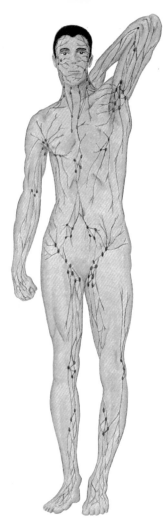

Les ganglions lymphatiques

Petits organes ronds disséminés le long du système lymphatique, les ganglions produisent des lymphocites, cellules du sang appartenant aux globules blancs, responsables de la riposte immunitaire.

LE SYSTÈME LYMPHATIQUE

Son rôle est fondamental dans la défense immunitaire. Il est formé d'un réseau de capillaires et de vaisseaux qui court dans tout le corps et de quelques ganglions lymphatiques. Dans les vaisseaux, qui débouchent dans le système sanguin, passe la lymphe, liquide qui s'insinue entre chaque cellule pour apporter les nutriments et remporter les déchets.

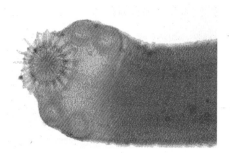

Les vers

Ils infestent le corps et envahissent de nombreux organes. Le ténia, qui s'établit dans l'intestin où il prélève des substances nutritives, peut mesurer jusqu'à 7 m de longueur. Ci-dessus, une « tête ».

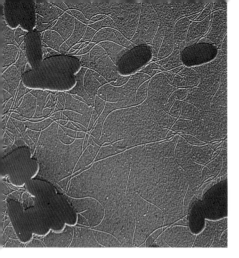

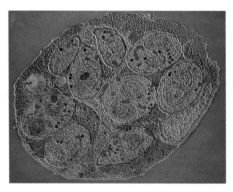

protection important, car elle absorbe les rayons ultraviolets, qui peuvent endommager l'ADN des cellules de la peau et causer des tumeurs, en les convertissant en rayons infrarouges.

Le derme se trouve sous l'épiderme : il est le siège des glandes sudoripares. Chaque être humain en possède environ 3 millions qui, lors d'une seule journée chaude, peuvent produire jusqu'à 2 ou 3 litres de sueur.

On trouve également dans le derme les structures qui donnent naissance aux poils. Ceux-ci sont présents sur tout le corps, à l'exception des lèvres, de la paume des mains et de la plante des pieds. Certains poils sont si fins qu'ils en deviennent pratiquement invisibles. On ne se rend compte de l'existence de ce duvet que lorsque, sous l'effet du froid, les poils se redressent, provoquant ces reliefs particuliers appelés « chair de poule ».

Chaque poil est relié à deux petites glandes sébacées, lesquelles sécrètent une substance huileuse qui recouvre le poil lui-même ainsi que la surface externe de la peau : cela contribue ainsi à rendre la peau souple et à retenir l'humidité.

Les protozoaires
Comme les bactéries, ce sont des organismes unicellulaires, mais qui ont la même structure que nos cellules, avec noyau et organite. *Toxoplasma gondii* infecte l'Homme, lui inoculant la toxoplasmose.

Les prions
Ce sont des protéines, produites par l'organisme, qui prennent, par hasard, une forme aberrante. Par la suite, elles servent de « moule » aux autres protéines, qui s'en trouvent altérées et produisent des amas nocifs. La protéine anormale peut être ingérée avec la nourriture. Elle est cause chez l'Homme de la maladie de Creuzfeldt-Jakob et de celle dite de la « vache folle » chez les bovins.

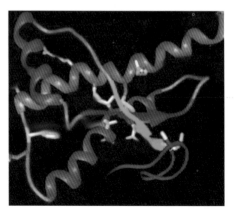

Quand l'ennemi pénètre dans le corps

Si les organismes pathogènes réussissent à entrer dans le corps, la bataille devient plus difficile. En effet, ils se reproduisent très vite, tuent les cellules ou y déposent des toxines qui les empoisonnent. Pour éviter que les ennemis ne prennent le dessus, le corps dispose de défenses très élaborées, véritable armée de globules blancs, répartie en « troupes » diversement spécialisées, qui attaquent les agents infectieux sur plusieurs fronts et engagent une lutte au corps à corps.

Si les bactéries parviennent à pénétrer dans un tissu, les cellules endommagées produisent des molécules qui font office de signaux d'alarme. Celles-ci attirent tout d'abord les neutrophiles et les macrophages, deux types de globules blancs qui accourent sur le lieu de l'infection et dévorent littéralement les bactéries. Ces combattants peuvent, en effet, modifier leur forme : ils encerclent l'ennemi et l'englobent dans une vessie, dans laquelle ils déversent des molécules qui le détruisent. Les macrophages patrouillent sans cesse dans l'organisme et font office de « balayeurs » : en effet, en plus des bactéries, ils éliminent les restes de cellules mortes ou de particules de poussière entrées dans le système respiratoire. Après l'intervention des neutrophiles et des macrophages, une molécule appelée histamine est libérée : elle provoque une inflammation, c'est-à-dire une dilatation des vaisseaux sanguins, ce qui permet un plus grand afflux de sang, et donc d'autres globules blancs en renfort, dans la zone malade. Toutefois, pour rapide que soit l'intervention, la défense mise en œuvre par les neutrophiles et les macrophages ne

Dans ce cas, la priorité du corps est de se défendre. Le bien-être général passe au second plan et les signes de la guerre en cours sont souvent difficiles à supporter.

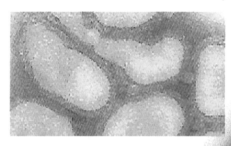

Les virus
Ils sont responsables de nombreuses maladies, comme la grippe. Ce ne sont pas des êtres vivants mais de simples « boîtes » protéiniques renfermant un patrimoine génétique. Celui-ci pénètre dans les cellules qu'ils infectent, les contraignant à créer de nombreuses copies du virus.

La fièvre
C'est un symptôme facilement reconnaissable d'infection ou de maladie. Elle aide au diagnostic et ne doit pas être négligée.

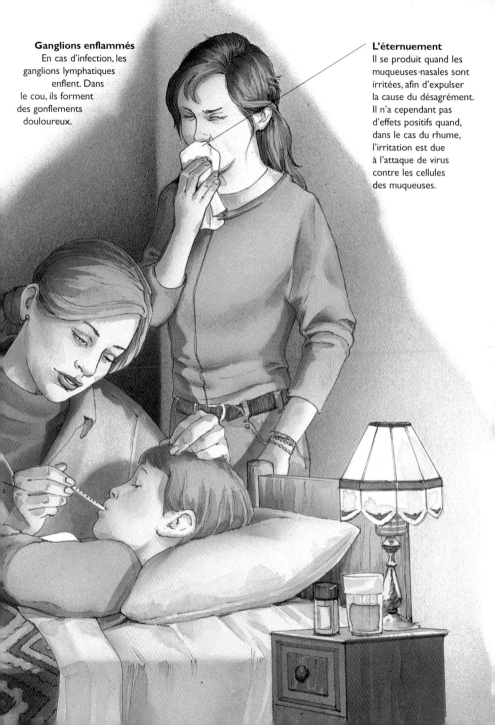

Ganglions enflammés
En cas d'infection, les ganglions lymphatiques enflent. Dans le cou, ils forment des gonflements douloureux.

L'éternuement
Il se produit quand les muqueuses nasales sont irritées, afin d'expulser la cause du désagrément. Il n'a cependant pas d'effets positifs quand, dans le cas du rhume, l'irritation est due à l'attaque de virus contre les cellules des muqueuses.

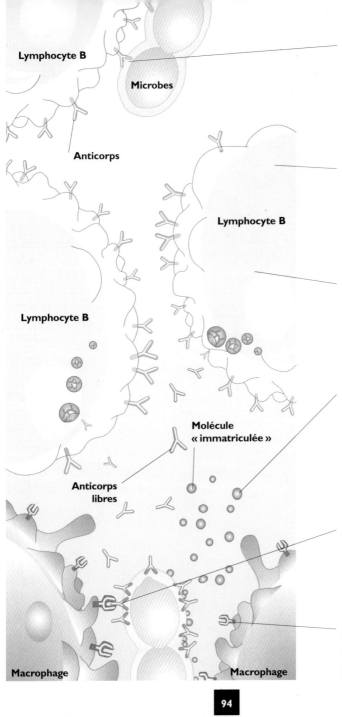

Lymphocyte B

Microbes

Anticorps

Lymphocyte B

Lymphocyte B

**Molécule
« immatriculée »**

**Anticorps
libres**

Macrophage

Macrophage

Après l'invasion
L'antigène des deux
microbes entrés dans
le corps est agrippé
par le lymphocyte B
correspondant qui,
en riposte, s'active
et se multiplie.

**Les nouveaux
lymphocytes B**
Ils produisent environ
10 millions d'anticorps
à l'heure. Certains restent
accrochés au lymphocyte,
d'autres se libèrent
dans les tissus.

**Les « cellules
de la mémoire »**
On surnomme ainsi
les lymphocytes B qui
continueront à patrouiller
dans l'organisme, après
la fin de l'infection.

Identifier l'ennemi
Certains anticorps
activent un système
spécifique de molécules,
qui s'accrochent
aux antigènes des
envahisseurs ou aux
cellules qui mettent en
évidence des antigènes,
et les « immatriculent ».

La réaction
Les envahisseurs et les
cellules « immatriculées »
sont détachés par les
macrophages ou d'autres
types de lymphocytes.

Dévorer l'ennemi
Les macrophages peuvent
s'allonger pour englober
leur cible. Ensuite,
ils la détruisent.

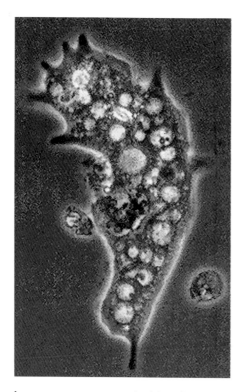

suffit pas toujours. Parfois, dans l'exemple d'un ver, l'ennemi est un parasite de trop forte taille pour eux. Dans ce cas, ce sont les globules blancs qui entrent en action en dressant une défense chimique, par sécrétion de substances qui détruisent les tissus de l'envahisseur et le tuent.

S'il s'agit d'infections plus problématiques par virus ou bactéries, le corps humain doit engager des défenses plus spécialisées. En effet, les virus attaquent de façon différente : ils se multiplient à l'intérieur des cellules de l'organisme en des points que les neutrophiles et les macrophages ne peuvent pas atteindre. Dans ce cas, la clef du problème réside dans le fait que chaque organisme ou virus est caractérisé par une molécule particulière, que le système immunitaire identifie comme étrangère. Ces substances sont appelées antigènes.

Le corps dispose d'au moins 10 millions de types de cellules dites lymphocytes B, chacune capable de reconnaître un seul antigène ; leur nombre est si élevé qu'il existe pratiquement un type de lymphocyte B pour chaque antigène possible.

S'il survient une infection bactérienne, les antigènes circulent dans le corps, libres ou liés à la membrane des macrophages qui

Le corps contre-attaque
Le mécanisme par lequel les macrophages et autres globules blancs (ci-dessous) englobent les bactéries après en avoir repéré la présence grâce à leurs fins prolongements est analogue à celui mis en œuvre par certains organismes unicellulaires pour se nourrir, (par exemple, l'amibe ci-dessus).

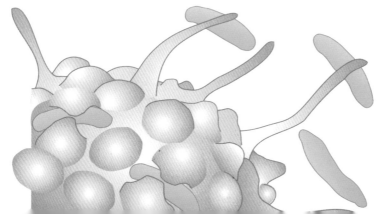

Le pollen
Les allergies les plus
communes sont
provoquées par
des protéines reconnues
comme antigènes.

Les acariens
Ils vivent en colonies
très nombreuses dans
les matelas et les coussins. Leurs excréments
peuvent déclencher des allergies.

ont détruit l'organisme auquel ils appartenaient.

En revanche, si l'infection est virale, la cellule qui est attaquée expose l'antigène sur la membrane, pour signaler l'infection au système immunitaire. Dans tous les cas, l'antigène finit par arriver à proximité d'un lymphocyte B capable de le reconnaître. Lorsque cela se produit, le lymphocyte B se multiplie en formant des milliers de copies de lui-même. Celles-ci produisent des molécules spéciales appelées anticorps, capables de se lier aux antigènes correspondants, soit parce que cet antigène est présent sur la membrane d'une bactérie, soit parce qu'il est exposé par la cellule infectée par un virus.

Par la suite, les macrophages et d'autres cellules appelées lymphocytes reconnaissent et détruisent la bactérie ou la cellule carac-

Effets de l'allergie
Les yeux et le nez sont facilement en contact avec un antigène. Les lymphocytes B stimulent donc la production d'histamine dans les tissus, qui enflent, rougissent et « coulent ».

Les poils de chiens et de chats
Ils peuvent provoquer de l'allergie, de même que la poussière de maison, les plantes vertes, les fraises, la farine, etc.

térisée par l'ensemble antigène-anticorps. Une fois l'infection vaincue, tous les lymphocytes T et la majeure partie des lymphocytes B ayant participé à la défense meurent.

Certains lymphocytes B demeurent cependant dans l'organisme pendant des mois, des années, voire toute la vie : si des organismes identiques à ceux qui ont été vaincus tentent une nouvelle attaque, ils déchaînent une riposte immunitaire plus rapidement que la première fois.

C'est sur ce principe que fonctionnent les vaccins, qui fournissent au corps certains antigènes, non liés aux micro-organismes en mesure de déclencher la maladie. Lorsque ceux-ci entrent en contact avec le lymphocyte B correspondant, ils alertent le système immunitaire sans que la personne vaccinée tombe malade.

METTRE AU MONDE UN ENFANT

Le corps humain est une « machine » extraordinaire, capable de croître, de se maintenir en activité et de se protéger des dangers. Mais son entreprise la plus exceptionnelle est celle qui consiste à mettre au monde un autre être humain.

L'Homme est doté d'un très fort instinct de procréation ; son corps a évolué pour engendrer et accompagner la croissance d'un enfant de la meilleure des façons.

Toutes les espèces vivantes existant sur la Terre investissent une bonne partie de leur énergie dans la reproduction ; si elles ne le faisaient pas, ou si elles n'étaient plus en mesure de le faire, elles seraient vouées à une extinction rapide.

Procréer veut dire transmettre une partie de ses gènes à un autre être, lequel, à son

Spermatozoïdes et testostérone
Les spermatozoïdes sont produits sans cesse dans les tubes séminifères contenus dans les testicules. Cela signifie que, bien qu'il leur faille environ 72 jours pour parvenir à maturité, il y a en permanence des cellules sexuelles matures capables de procréer. Les testicules sont des glandes endocrines qui sécrètent la testostérone, l'hormone sexuelle masculine.

Les spermatozoïdes
À maturité, ils sortent en masse des tubes séminifères vers l'épididyme, qu'ils parcourent jusqu'à arriver dans les vésicules séminales.

Les testicules
Ils pendent hors du corps, car la maturation des spermatozoïdes doit s'effectuer à une température inférieure à celle de l'organisme.

Le pénis
Il est formé d'un tissu spongieux recouvert de peau. Au moment de l'excitation sexuelle, le sang injecté dans le tissu provoque une augmentation de ses dimensions et le rend rigide. C'est ce que l'on appelle une érection.

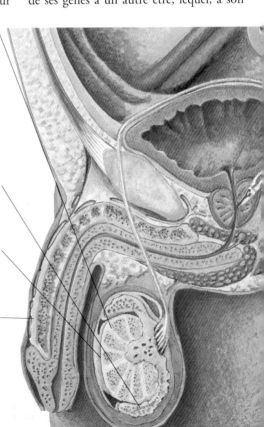

tour, les communiquera à ses descendants. Cela signifie donc, pour les humains, une garantie de survie après la mort.

Le cerveau très développé des êtres humains leur offre une possibilité supplémentaire : il leur permet de léguer aux générations futures – et non pas seulement à leurs seuls descendants – quelque chose d'autre que les gènes : l'héritage culturel.

En effet, un petit *Homo sapiens,* né à l'âge de la pierre, avait les mêmes potentialités mentales qu'un enfant du XXIe siècle ; ce dernier peut utiliser et construire des instruments beaucoup plus complexes que ceux mis au point par son lointain ancêtre, uniquement parce qu'il dispose d'informations technologiques que les générations se sont transmises et ont enrichies pendant

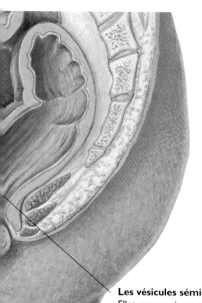

L'APPAREIL REPRODUCTEUR MASCULIN
Il a pour fonction de produire les spermatozoïdes et de les insérer dans le corps de la femme.

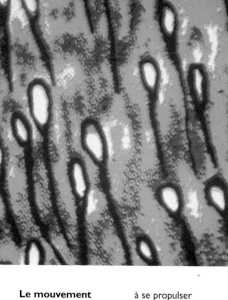

Les vésicules séminales
Elles emmagasinent environ 500 millions de spermatozoïdes et fournissent la partie liquide de la semence masculine. Elles se vident au moment de l'éjaculation.

Le mouvement des spermatozoïdes
À maturité, les spermatozoïdes sont munis d'une sorte de queue, ou flagelle, qui leur sert à se propulser vers l'ovule.

Le sperme est formé de spermatozoïdes et d'une partie liquide et nutritive, le plasma séminal.

L'APPAREIL REPRODUCTEUR FÉMININ

Il est dévolu à la production des ovules et doit permettre la fécondation. Ensuite, il accueille et nourrit l'embryon pendant les neuf mois de son développement.

Les ovaires
Les ovules y mûrissent ; ensuite, ils rejoignent l'utérus en empruntant le chemin des trompes de Fallope. Comme les testicules, ils ont une fonction de glande et produisent l'hormone sexuelle féminine, appelée œstrogène.

Trompes de Fallope

Vessie

Le clitoris
C'est un organe très sensible, situé à la confluence des petites lèvres. De sa stimulation provient en grande partie le plaisir sexuel féminin.

Urètre

Les grandes et les petites lèvres
Ces replis protègent le clitoris, le méat urinaire et l'entrée du vagin. L'ensemble forme la vulve.

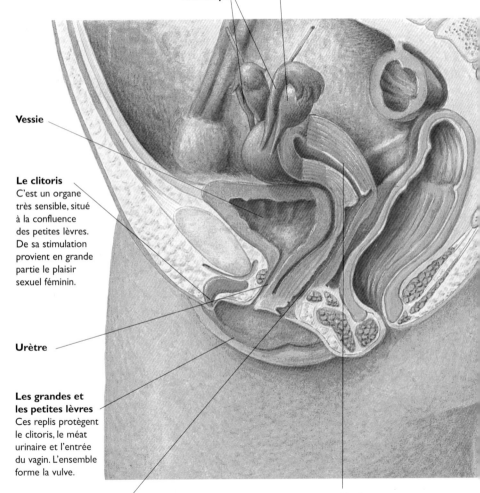

Le vagin
Il mesure environ 7 cm de longueur et peut se dilater beaucoup pour accueillir le pénis durant l'acte sexuel, ou coït, et aussi pour permettre la sortie du bébé, lors de l'accouchement.

L'utérus
Sa paroi musculaire fait 2,7 cm d'épaisseur. Il communique directement avec le vagin.

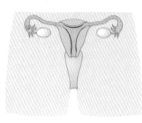
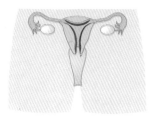
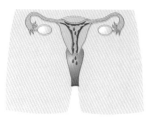

La menstruation

L'œuf mûrit dans l'ovaire, à l'intérieur d'un follicule, en quatorze jours environ. Puis il est libéré et passe dans les trompes de Fallope. Pendant quatorze autres jours, le follicule produit des hormones, qui stimulent dans l'utérus la croissance d'une muqueuse destinée à accueillir l'ovule fécondé. S'il n'y a pas fécondation, la muqueuse se déchire et l'ovule est expulsé durant les règles, ou menstruation. Celles-ci durent une semaine, pendant laquelle un nouvel ovule commence à mûrir. Ainsi, le cycle complet, du début de la maturation d'un ovule au cycle suivant, dure environ vingt-huit jours.

Les ovules
À la naissance, les ovaires en contiennent environ 600 000, mais seuls 400 d'entre eux mûriront, au rythme de un par mois à partir de la puberté. Jusqu'au moment de son implantation dans l'utérus, l'ovule est entouré par des milliers de cellules qui le nourrissent et le protègent.

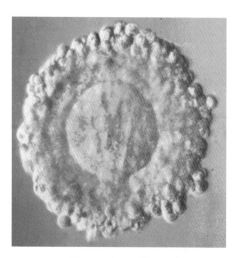

des millénaires. Comme tous les animaux supérieurs, l'Homme a une reproduction sexuée. Cela signifie que toute personne, homme ou femme, ne transmet à ses enfants que la moitié de son patrimoine génétique, la seconde partie provenant de l'autre géniteur. Pour cette raison, les enfants ressemblent à leurs deux parents, mais ne sont identiques à aucun des deux, pas plus qu'à leurs frères ou sœurs. Le patrimoine génétique, en effet, peut être imaginé comme un paquet formé de milliers de cartes ; chaque fois qu'un enfant est conçu, le paquet est divisé en deux parties, au hasard, et l'enfant reçoit la copie de l'une des moitiés. Il est pourtant pratiquement impossible qu'en coupant ainsi le paquet de cartes, on obtienne un assortiment de cartes identique à celui obtenu au cours d'une autre conception. Pour que deux personnes puissent mettre au monde un enfant, il faut que leurs corps produisent des cellules très spéciales. Elles sont les seules à ne pas posséder un patrimoine génétique complet, mais seulement la moitié de l'ADN présent dans toutes les autres cellules de l'organisme. Ces cellules sont les spermatozoïdes produits par l'homme et les ovules produits par la femme dans les ovaires. Quand un ovule et un spermato- zoïde s'unissent, il se forme un zygote, c'est-à-dire la première cellule d'un nouvel être humain. Si les cellules dévolues à la reproduction avaient le même patrimoine génétique que toutes les autres cellules du corps, le zygote qui en découlerait aurait deux fois la quantité d'ADN des parents et doublerait à chaque génération.

L'ACTE SEXUEL
Il entraîne l'accélération des battements du cœur et de la respiration. Il culmine avec l'orgasme, une sensation de plaisir intense qui envahit tout l'organisme.

L'excitation féminine
Moins évidente que chez l'homme, elle provoque dans le vagin la sécrétion d'une substance lubrifiante qui facilite la pénétration du pénis. L'orgasme peut être long à atteindre et demander beaucoup plus d'attention et des caresses préliminaires prolongées.

L'excitation masculine
Elle se manifeste par une plus grande irrigation sanguine du pénis, qui devient rigide (érection) et peut ainsi pénétrer dans le corps de la femme. Le sperme, qui contient les spermatozoïdes, jaillit lors de l'éjaculation.

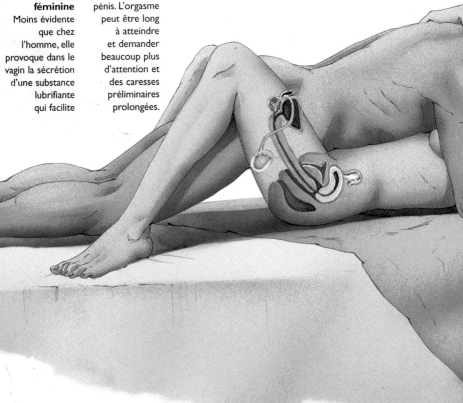

La fécondation
De nombreux
spermatozoïdes
atteignent presque
en même temps
l'ovule, mais un seul
— sauf exception —
peut le pénétrer
et le féconder.
Aussitôt, la membrane
de l'ovule se rigidifie,
empêchant ainsi
les autres d'entrer.

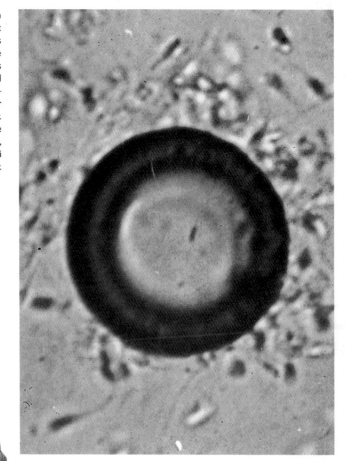

Les hommes produisent de nouveaux spermatozoïdes à partir de la puberté, pendant presque toute la durée de leur vie. Les femmes, au contraire, produisent leurs ovules dans la vie fœtale, mais ne les mènent pas immédiatement à maturation. À sa naissance, une fille possède déjà son compte définitif d'ovules. À partir de la puberté, ils commencent à mûrir et se libèrent régulièrement, au rythme d'un tous les 28 jours, jusqu'à cinquante ans environ. À cet âge, l'activité des ovules cesse et la ménopause commence.

Un nouvel être humain arrive

Une vie embryonnaire commence lors de la fécondation, quand un spermatozoïde pénètre un ovule et qu'ils unissent leurs patrimoines génétiques.

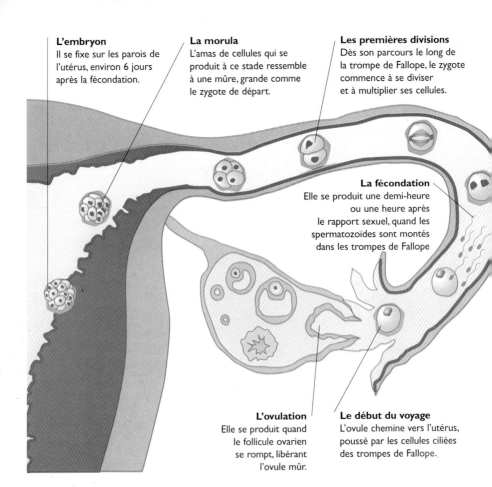

L'embryon
Il se fixe sur les parois de l'utérus, environ 6 jours après la fécondation.

La morula
L'amas de cellules qui se produit à ce stade ressemble à une mûre, grande comme le zygote de départ.

Les premières divisions
Dès son parcours le long de la trompe de Fallope, le zygote commence à se diviser et à multiplier ses cellules.

La fécondation
Elle se produit une demi-heure ou une heure après le rapport sexuel, quand les spermatozoïdes sont montés dans les trompes de Fallope

L'ovulation
Elle se produit quand le follicule ovarien se rompt, libérant l'ovule mûr.

Le début du voyage
L'ovule chemine vers l'utérus, poussé par les cellules ciliées des trompes de Fallope.

C'est ainsi qu'est créée la première cellule d'un être humain, à partir de laquelle naîtront toutes les autres. En effet, la cellule se scindera des millions de fois, et ses cellules filles, en se différenciant, constitueront tous les tissus qui forment d'abord le corps d'un nouveau-né, puis d'un enfant, puis d'un adulte, enfin d'un vieillard. Pour que ce processus puisse se produire, il faut, en premier lieu, qu'un ovule et un spermatozoïde se rencontrent : cela intervient à la suite de l'accouplement d'un homme et d'une femme, c'est-à-dire le transfert des spermatozoïdes dans le corps de la femme. L'acte sexuel a donc pour fonction première de permettre la reproduction, même s'il est souvent accompli avec le seul désir d'en retirer des sensations agréables et de renforcer les liens de sentiments entre deux personnes.

Les vrais jumeaux

Ils se développent dans un unique ovule fécondé si, au moment des premières divisions, les cellules ne demeurent pas unies mais se séparent en deux groupes qui continuent à se multiplier. Souvent, des vrais jumeaux partagent un placenta unique.

Les faux jumeaux

Ils se développent à partir de la fécondation de deux ovules différents qui ont mûri simultanément. Cette situation est insolite parce que, normalement, il ne mûrit qu'un seul ovule à la fois.

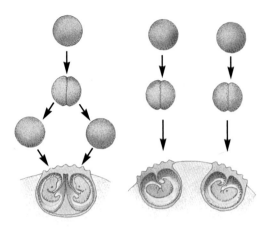

Le même patrimoine génétique

Il caractérise les vrais jumeaux, issus d'un seul et même ovule fécondé par le même spermatozoïde. Cela explique leur extrême ressemblance physique.

Un patrimoine génétique différent

Les faux jumeaux naissent de deux ovules fécondés par deux spermatozoïdes différents. Aussi se ressemblent-ils comme de banals frères ou sœurs.

Dans le corps féminin, il ne se trouve généralement qu'un seul ovule fécondable à la fois, et seulement pendant deux jours par mois, c'est-à-dire dès que la phase de maturation est terminée et que l'ovule s'est placé dans les trompes de Fallope. Pour sa part, pendant l'acte sexuel, l'homme libère dans le corps de la femme environ 500 millions de spermatozoïdes, qui avancent dans les voies sexuelles féminines en frétillant de la « queue » (flagelle) comme des petits poissons. Mais seul l'un d'eux pourra pénétrer l'ovule. Auparavant, il aura dû entrer en compétition avec tous les autres et être le plus rapide à remonter le vagin, traverser l'utérus et parcourir toute la trompe de Fallope. Mais ses efforts ne seront récompensés que si l'acte sexuel s'est produit dans la période féconde de la femme, c'est-à-dire s'il y a un ovule fertile qui l'attend.

Ce trajet est si ardu que la plupart des spermatozoïdes meurent chemin faisant. En outre, la difficulté de l'entreprise constitue un moyen privilégié de sélection : il est très rare qu'un spermatozoïde défectueux réussisse à féconder l'ovule avant un spermatozoïde sain. Celui qui atteint l'ovule rompt l'enveloppe et pénètre à l'intérieur.

Le zygote se forme et aucun autre spermatozoïde ne pourra se fondre avec lui. La fécondation effectuée, la cellule à peine formée commence à se multiplier, donnant origine d'abord à deux cellules, puis à quatre et ainsi de suite.

Trois ou quatre jours après la fécondation, l'embryon, formé d'environ seize cellules, termine son parcours dans la trompe

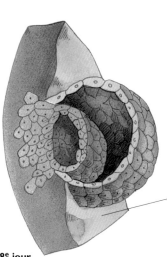

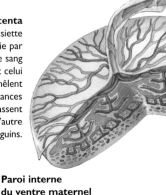

Le placenta
Il a la forme d'une assiette et il est relié au foie par le cordon ombilical. Le sang de la mère et celui de l'enfant ne se mêlent jamais et les substances échangées passent de l'une à l'autre par les vaisseaux sanguins.

**Paroi interne
du ventre maternel**

Au 7ᵉ-8ᵉ jour
À ce stade, l'embryon mesure 0,1 cm et a déjà pris contact avec le corps maternel.

À 28 jours
On reconnaît la tête inclinée sur le tronc. L'embryon mesure 0,4 cm. Sa petite queue le fait ressembler à un poisson.

de Fallope et atteint l'utérus. À ce point, son problème principal est de trouver un ancrage au corps maternel, pour pouvoir recevoir nourriture et protection pendant les mois du développement intra-utérin.

Certaines cellules de l'embryon ne sont pas destinées à la formation du corps de l'enfant, mais constituent des villosités choriales, qui pénètrent dans la paroi de l'uté-rus, comme le feraient les doigts d'une main dans une pâte dense. Ces structures produisent l'hormone chorionique gonadotrophique (HCG), qui a pour but d'empêcher le flot des règles qui pourrait entraîner l'embryon au-dehors. L'HCG peut cependant créer des troubles chez la femme, et elle est responsable des premiers malaises liés à la grossesse, comme les nausées.

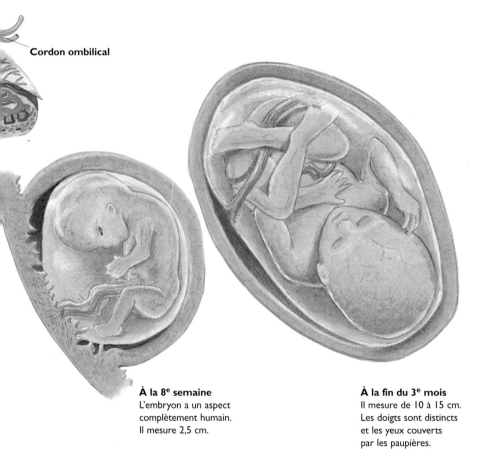

Cordon ombilical

À la 8ᵉ semaine
L'embryon a un aspect complètement humain.
Il mesure 2,5 cm.

À la fin du 3ᵉ mois
Il mesure de 10 à 15 cm.
Les doigts sont distincts et les yeux couverts par les paupières.

Au cours des jours suivants, le placenta se développe à l'endroit où les villosités choriales sont implantées dans l'utérus. Le placenta est l'organe dont dépend la survie du futur être humain durant sa vie intra-utérine ; c'est à travers lui que se produisent tous les échanges entre l'enfant et sa mère. En effet, le placenta fonctionne comme un filtre traversé dans un sens par l'oxygène et les substances nutritives transmises par le corps maternel et, dans le sens opposé, par l'anhydride carbonique et les déchets dont le nouvel être humain se libère, en les reversant dans le circuit sanguin de la mère. Malheureusement, le placenta peut être traversé par des agents infectieux ou des substances pouvant interférer sur le développement de l'enfant, par exemple des remèdes ingérés par la mère.

AU 7ᵉ MOIS
L'enfant est complètement développé et pourrait vivre hors du corps de la mère. Les deux mois suivants servent à le rendre plus fort pour augmenter ses chances de survie après la naissance.

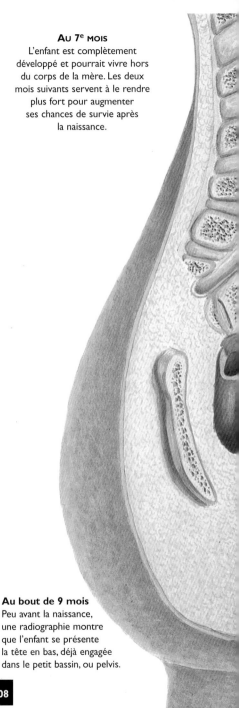

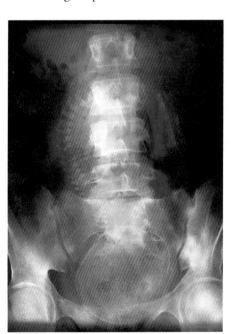

Au bout de 9 mois
Peu avant la naissance, une radiographie montre que l'enfant se présente la tête en bas, déjà engagée dans le petit bassin, ou pelvis.

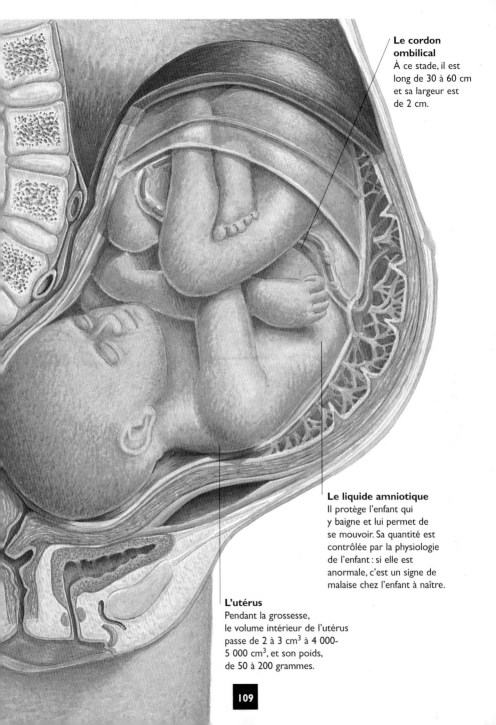

Le cordon ombilical
À ce stade, il est long de 30 à 60 cm et sa largeur est de 2 cm.

Le liquide amniotique
Il protège l'enfant qui y baigne et lui permet de se mouvoir. Sa quantité est contrôlée par la physiologie de l'enfant : si elle est anormale, c'est un signe de malaise chez l'enfant à naître.

L'utérus
Pendant la grossesse, le volume intérieur de l'utérus passe de 2 à 3 cm³ à 4 000-5 000 cm³, et son poids, de 50 à 200 grammes.

D'autres cellules dérivées du zygote forment une espèce de sac appelé amnios, qui entoure l'embryon. À l'intérieur de cette poche s'accumule le liquide amniotique, dans lequel le futur être humain se trouve immergé et qui, entre autres fonctions, le protège des chocs éventuels.

À la fin de la neuvième semaine de grossesse, le fœtus a déjà un aspect typiquement humain. Il faut alors beaucoup de sang pour satisfaire ses exigences et lui apporter suffisamment de nourriture et d'oxygène. La mère, stimulée par une fréquente sensation de soif, doit donc boire beaucoup pour augmenter le volume de

L'ACCOUCHEMENT
Il débute quand les contractions de l'utérus poussent l'enfant au-dehors, tandis que le col de l'utérus se dilate jusqu'à atteindre 10 cm de diamètre. 95 % des enfants sortent la tête la première. Pour ceux qui se présentent par les pieds ou par le siège, l'accoucheur pratiquera une césarienne, incision chirurgicale de la paroi abdominale et de l'utérus maternel.

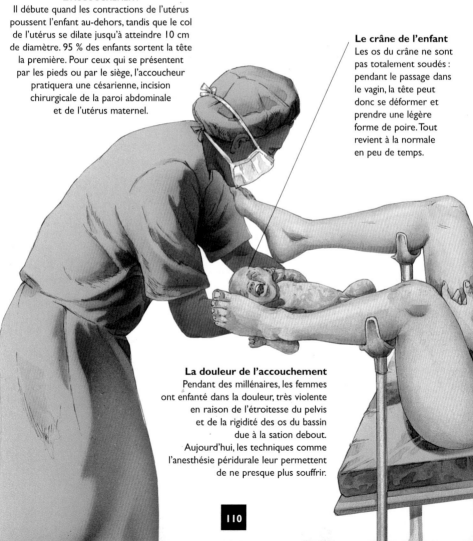

Le crâne de l'enfant
Les os du crâne ne sont pas totalement soudés : pendant le passage dans le vagin, la tête peut donc se déformer et prendre une légère forme de poire. Tout revient à la normale en peu de temps.

La douleur de l'accouchement
Pendant des millénaires, les femmes ont enfanté dans la douleur, très violente en raison de l'étroitesse du pelvis et de la rigidité des os du bassin due à la sation debout. Aujourd'hui, les techniques comme l'anesthésie péridurale leur permettent de ne presque plus souffrir.

ses liquides corporels. Cet apport continu de liquides dilue considérablement le sang, au point que le corps de la femme ne parvient plus à produire assez de globules rouges et blancs pour rétablir la concentration normale de cellules.

À la fin du troisième mois, le corps maternel est en général parfaitement adapté à la nouvelle situation : la forme physique s'améliore, les nausées et autres malaises typiques du début de la grossesse disparaissent. Le cœur a cependant un peu plus de mal à pomper un volume accru de sang. Quant au foie, il fournit un effort colossal et, avant le terme de la grossesse, il accroîtra beaucoup son volume.

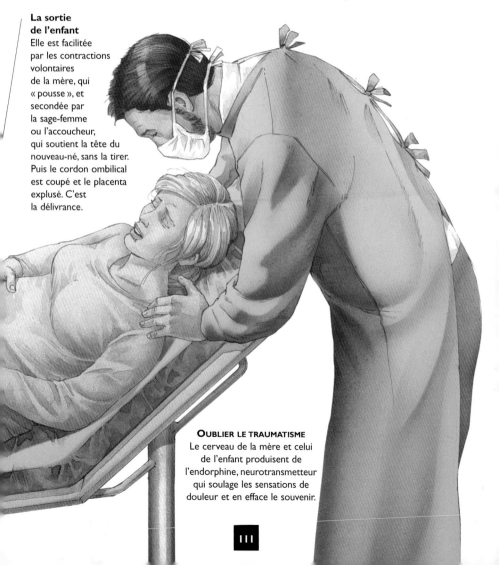

La sortie de l'enfant
Elle est facilitée par les contractions volontaires de la mère, qui « pousse », et secondée par la sage-femme ou l'accoucheur, qui soutient la tête du nouveau-né, sans la tirer. Puis le cordon ombilical est coupé et le placenta explusé. C'est la délivrance.

OUBLIER LE TRAUMATISME
Le cerveau de la mère et celui de l'enfant produisent de l'endorphine, neurotransmetteur qui soulage les sensations de douleur et en efface le souvenir.

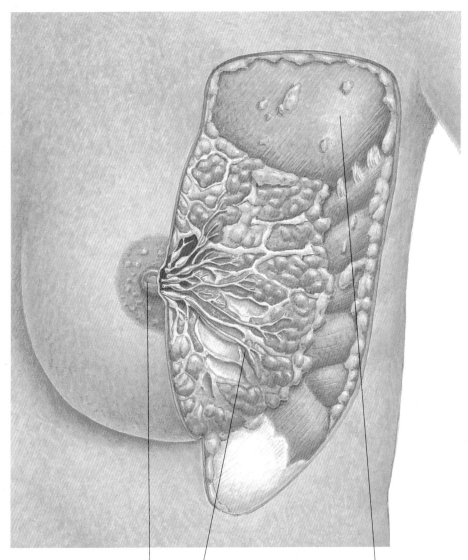

Le mamelon
De 10 à 15 canaux
galactophores y convergent.
Quand le nouveau-né tète, des
signaux nerveux sont émis,
qui déclenchent et entretiennent
la production de lait.

Les canaux galactophores
Ce sont de petits tubes
revêtus de cellules
musculaires qui, au moment
de l'allaitement, poussent
le lait vers l'extérieur.

**Le muscle
pectoral**
Il sert d'appui
au sein.

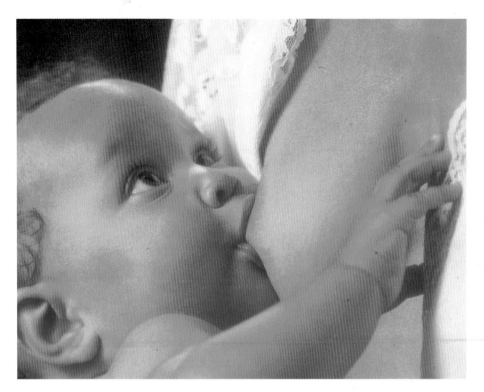

Le lait maternel
Il est à température parfaite et contient en quantités idéales les substances nutritives pour nourrir les petits de l'espèce humaine : il n'est pas de meilleur lait. En outre, durant l'allaitement, il renforce le lien entre la mère et l'enfant, qui reçoit de précieux stimuli psychologiques.

Composants par litre	Lait de femme	Lait de vache
Protéines	11 grammes	33 grammes
Lactose	71 grammes	48 grammes
Lipides	42 grammes	37 grammes
Sels minéraux	2,4 grammes	7 grammes
Fer	0,5 milligramme	0,5 milligramme
Valeur calorique	700 kilocalories	670 kilocalories

 Pour faire de la place au fœtus, les organes internes de la femme se déplacent continuellement.

Entre-temps, les glandes du sein augmentent de volume et se préparent à produire du lait, dès que l'enfant sera né.

Le développement normal du fœtus dure environ 40 semaines, même si, à partir de 24 semaines, il peut déjà survivre hors du corps maternel, en couveuse.

Deux ou trois semaines avant l'accouchement, le fœtus se présente la tête en bas, vers l'ouverture du vagin, dont il lui faudra sortir.

La naissance est annoncée par des douleurs, que la future mère identifie parfaitement, et au début desquelles se produisent la rupture de la poche amniotique et l'écoulement du liquide qu'elle contient. On parle alors de perte des eaux.

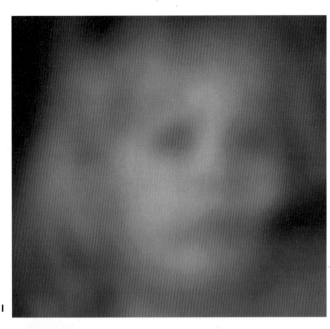

La vue d'un enfant
Les nouveau-nés humains
voient très peu et,
à quelques jours,
les principaux stimuli
proviennent du toucher,
de l'odorat et du goût.
À trois mois, la vue
s'est améliorée, mais
est encore défectueuse.
À six mois,
les images sont floues
et l'enfant commence
à former ses archives
mentales des objets
qui l'entourent.
À huit mois, la vue est
parfaitement développée.
Entre-temps, l'enfant
a acquis la capacité de se
tourner et de ramper en
se poussant avec les pieds.
Il peut donc explorer
le monde extérieur.

1

2

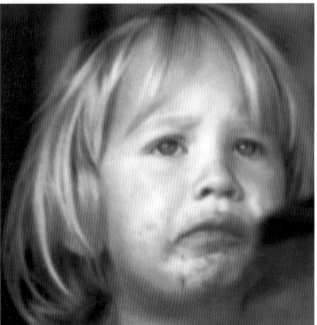

3

4

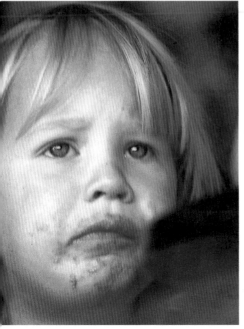

 Puis surviennent des contractions, de plus en plus fréquentes, des muscles de l'utérus qui poussent le fœtus vers l'extérieur.

Il peut se passer 14 heures avant qu'elles n'atteignent une intensité suffisante pour déclencher le travail proprement dit, c'est-à-dire la phase finale de l'accouchement, laquelle dure de quelques minutes à quelques heures.

À la naissance, le nouveau-né pèse en moyenne 3,5 kilos ; il mesure 50 cm environ et il est absolument incapable de survivre par lui-même.

À la différence de ce qui se produit chez les petits des autres espèces, qui peuvent marcher quelques minutes après la naissance et acquièrent rapidement leur indépendance, les petits de l'Homme demeurent dépendants de leurs géniteurs pendant un très long temps.

C'est probablement l'un des facteurs de base du succès de notre espèce. La longue durée de notre développement, en particulier celui du cerveau, nous permet, en effet, de consacrer beaucoup de temps à l'apprentissage.

La croissance
À sa naissance, le nouveau-né est extrêmement faible, les muscles de son cou ne lui permettent pas de tenir sa tête droite. En outre, il est très myope, et il ne peut pas identifier la provenance d'un son.

Il a cependant des comportements instinctifs, comme sucer pour se nourrir ou serrer un doigt ou tout objet placé dans sa main. Le bébé est déjà une personne, qui a diverses compétences que l'on commence à mieux connaître : par exemple, si on le tient debout sur un seul pied, il avance l'autre comme pour faire un pas.

Cet instinct se perd presque immédiatement, tout comme celui de serrer des objets disparaît au bout de trois mois. Marcher et saisir sont deux choses très difficiles à faire et qui devront être totalement réapprises par la suite. Néanmoins, au cours des premiers mois de la vie, le nourrisson accomplit des progrès très rapides et, en général, il est capable de se tenir assis à six mois, en position droite, mais le dos appuyé. La déambulation à quatre pattes est acquise vers onze mois et, avant dix-huit mois, le petit être humain est déjà en mesure de marcher et d'exprimer sa personnalité, en faisant clairement comprendre ce qu'il désire. À six

Marcher, c'est difficile !
Les enfants apprennent à contrôler les muscles, de la tête jusqu'aux pieds, à partir de ceux du corps. Ce n'est que lorsqu'ils ont acquis le sens de l'équilibre et le contrôle des hanches et des jambes qu'ils peuvent commencer à marcher.

LA CROISSANCE
Pendant les premières années, la croissance n'est pas uniforme : par exemple, à douze mois, le cerveau a atteint environ la moitié de son poids adulte, tandis que le reste du corps est beaucoup plus petit.

Les os
L'alimentation des enfants doit être riche en calcium, car leurs os croissent très rapidement.

ans, le cerveau a atteint 90 % de son poids définitif, mais une grande partie des connexions des neurones, dont dépend le fonctionnement du système nerveux, sont encore en cours de formation. Ce développement ne concerne pas uniquement les neurones préposés à ce qui est généralement défini comme « développement mental », mais aussi les neurones en relation avec le mouvement. En effet, ce n'est qu'à dix ans qu'est atteinte la capacité pleine et entière de saisir un objet.

La période de croissance la plus rapide et la plus délicate est celle de la puberté.

Le développement complet
Il s'atteint entre vingt et quarante ans, quand le corps est à son maximum de vigueur. Il y a peu de maladies spécifiques de cet âge, et la santé dépend en grande partie d'une vie saine.

LA SECONDE GRANDE ÉTAPE
Après la puberté, il ne se produit pas de grands changements physiques, jusqu'au moment où cesse la fertilité.

La puberté
Elle marque le passage de l'enfance à l'âge adulte. À partir de huit ans, les fillettes commencent à développer leurs caractères sexuels secondaires. Vers douze ans, le cycle se complète par l'apparition du premier cycle menstruel.

La force musculaire
Elle est à son maximum vers trente ans. Ensuite, les fibres musculaires commencent à mourir et sont remplacées par d'autres types de tissus.

Entre 13 et 15 ans
Les garçons montrent des signes de puberté : les testicules et le pénis grossissent, la barbe pousse et la voix se fait plus grave.

Celle-ci est caractérisée par une augmentation des hormones sexuelles dans le sang, lesquelles provoquent des changements physiques et psychologiques. Ces modifications sont accompagnées par une sensation de désorientation, par l'exigence croissante de conquérir son indépendance et, surtout, de définir sa propre identité. La période de la croissance se prolonge même après la puberté, vers vingt ans environ. Après cet âge, le vieillissement commence, mais les changements physiques sont très lents et peuvent n'être pas remarqués pendant des dizaines d'années, surtout si l'on mène une vie saine.

La chaleur métabolique
Les personnes âgées sont souvent frileuses, parce que les cellules du corps meurent peu à peu au cours des années et ne sont pas remplacées. La chaleur engendrée par leur métabolisme vient alors à manquer.

La ménopause
Elle se produit chez les femmes entre quarante-cinq et cinquante-cinq ans, et marque la fin de la fertilité. Chez les hommes, il se produit un événement analogue, l'andropause, mais moins marqué et plus tardif.

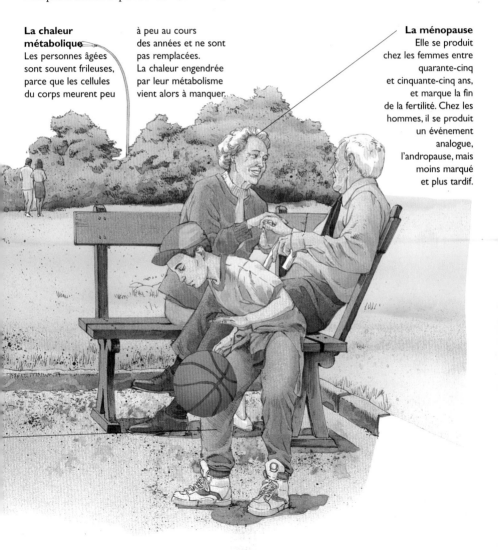

INDEX

Références iconographiques

Les illustrations contenues dans ce volume, inédites et originales, ont été réalisées sur les indications et grâce au suivi de DoGi spa, qui en détient le copyright.

Illustrations

b : bas ; c : centre ; d : droite ; g : gauche ; h : haut.
Alessandro Menchi 46-47 ; Francesco Petracchi 4, 5hd, 13hg, 15h, 20-21, 21b, 26, 27, 28, 31, 34, 39, 48-49h, 52-53, 58, 63, 66, 67h, 78, 85, 90, 98-99, 100-101, 107, 108-109, 112 ; Silvio Romagnoli 8, 9, 29 ; Studio Inklink 4-5, 5hg, 5c, 5b, 7, 10-11, 12-13, 14-15, 16, 16-17, 17, 18-19, 20, 21h, 22-23, 24-25, 33, 35, 36-37, 38-39, 40-41, 42, 43, 44, 45, 47, 48-49b, 50-51, 52-53, 54-55, 56-57, 59, 60-61, 62, 64, 65, 67b, 68, 68-69, 70-71, 71, 72-73, 74-75, 76-77, 80-81, 82-83, 84, 86-87, 88-89, 89, 92-93, 96-97, 102-103, 105, 106, 106-107hg, 110-111, 116-117, 118-119.

Reproductions et documents

DoGi a garanti, autant que possible, les éventuels droits des tiers. En cas d'omissions ou erreurs, elle présente d'ores et déjà ses excuses aux lecteurs et introduira les corrections opportunes dans les éditions ultérieures de cette œuvre.
Archives DoGi 25, 30, 31, 40, 66, 86 (6), 92, 95 ; Archives Isidori-Gallavotti 74, 75, 77 ; CNRI 91 ; Massimo Duccini, Viareggio 86 (5) ; Farabolafoto 105 ; Insitut Pasteur/CNRI-Overseas 90-91 ; Grazia Neri, Milan 103, 108 ; SIE, Rome 99, 101, 113 ; The Stock Market/H. Lloyd 86 (4) ; The Image Bank, Rome/Guido Alberto Rossi 86 (2) ; The Stock Market/Ariel Skelley 86 (3) ; The Image Bank, Rome/Harald Sund 86 (1).

Infographie

Luca Cascioli 6, 18 ; Bernardo Mannucci 4, 6-7, 15b, 30, 32, 79, 94 ; Bernardo Mannucci et Laura Ottina 55hg, 95, 101, 104 ; Francesco Milo 9 ; Sebastiano Ranchetti 55hd, 55cd, 55bd, 91c, 114, 115.